Le Business Golf

Une stratégie gagnante

Le Business Golf

Une stratégie gagnante

Titre original :

Business Golf, The art of building business relationships on the links

Éditeur original :

The Career Press, inc.

Dominic Lévesque, directeur général du Philanthrope Éditeur, tient à remercier publiquement et sincèrement toutes les personnes qui, de près ou de loin, ont contribué à la création et au rayonnement de cette entreprise.

Direction artistique : Martine Provençal

www.lephilanthrope.com

ISBN : 2-922797-06-6

Imprimé au Canada

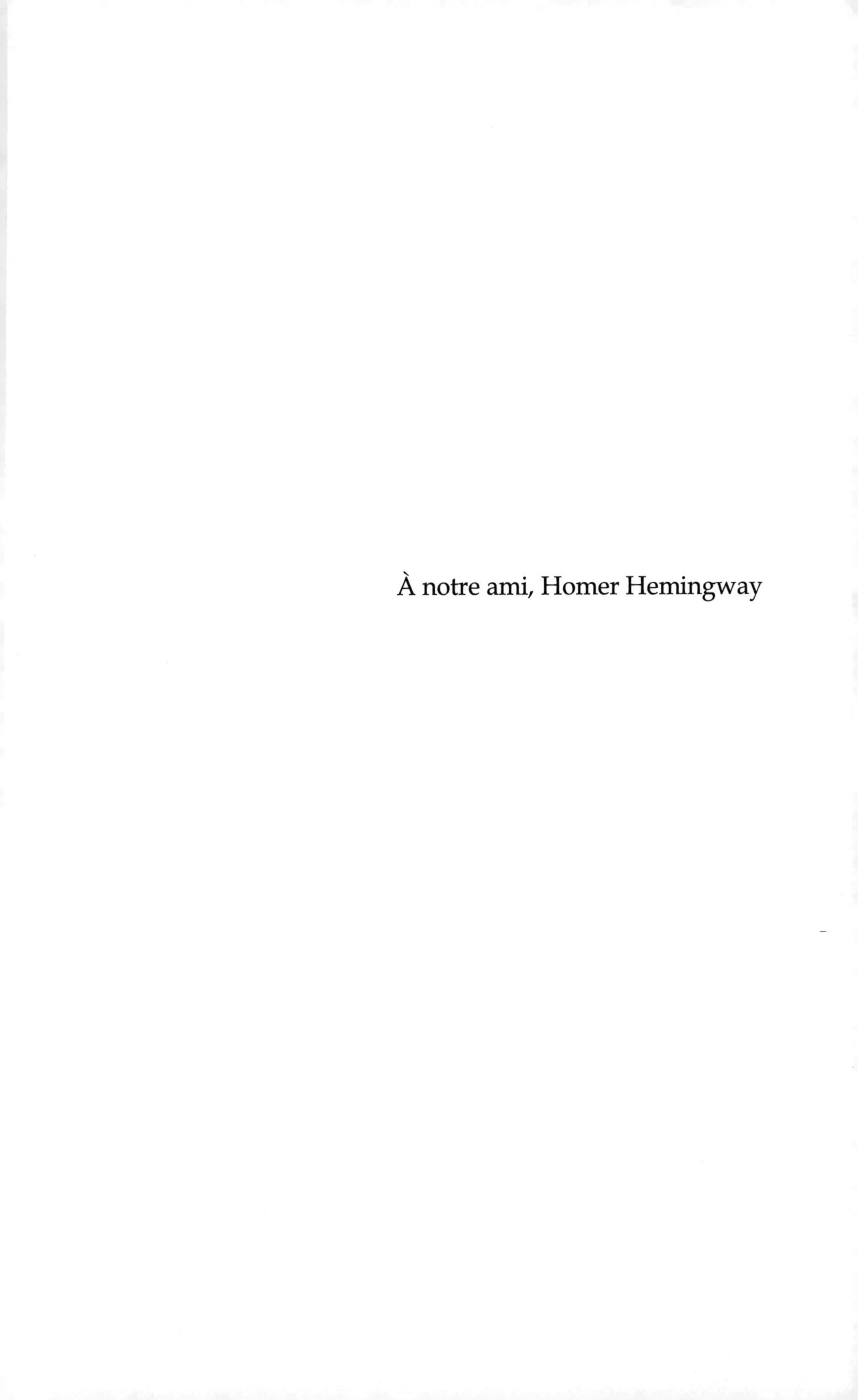

À notre ami, Homer Hemingway

Remerciements

Nous tenons à remercier les personnes suivantes pour leur appui et leurs encouragements tout au long de la rédaction de cet ouvrage : Wendell Conditt, Andy J. Chuck, Nick Arfaras, Mollu O'Dea, Rich Odioso, Fred Ridley, Homer Hemingway, Tom Wilson, John Davidson, Gary Koch de la Professional Golfers Association (PGA), Burt Linthicum, M. Katharine Post, Johnnie Jones (PGA), Penny White, Irv Thompson, William J. McNulty, Don Diehl, Renee McCollum, le Dr Richard T. Bowers, le Dr Paul J. Solomon, Hugh J. McNulty, Joseph Doyle, S.J. et Brady Fitzsimmons.

Nous tenons aussi à remercier ceux qui ont influencé et aidé les coauteurs. La rédaction de cet ouvrage nous a permis de partager, avec eux, nombre de merveilleux souvenirs. Ce sont : Paul Hunt, Denny Champagne (PGA), Gil Gonsalves (PGA), Par Neal (PGA), Dave Reagan (PGA), Harold Rayborn (PGA), David P. Rhame et Tom Wilson (PGA).

Préface

Mon expérience personnelle m'a appris que le golf peut briser les barrières entre les gens et servir de déclencheur pour leur permettre d'échanger librement des idées, tout en bâtissant des relations durables.

Pat Summerall

Combien d'entre vous sont d'accord avec cette affirmation de Pat Summerall ? Nous pensons qu'il est raisonnable d'affirmer qu'un grand nombre d'individus utilisent le golf pour créer des opportunités d'affaires.

La prémisse de *Business Golf* est de démonter qu'une simple partie de golf, lorsqu'elle est planifiée et jouée convenablement, peut devenir une très précieuse stratégie d'affaires pour créer des liens et bâtir des relations durables. Que vous soyez un golfeur accompli ou débutant, les conseils et les techniques présentés dans ce livre vous aideront à agir et à communiquer plus efficacement avec vos partenaires de golf, ce qui vous permettra de jouer le jeu des affaires avec plus d'assurance.

Selon nous, une partie de *Business Golf* se définit comme ceci : une partie qui a pour objectif de créer des liens et d'approfondir une relation entre vous et un partenaire, un client actuel ou potentiel, et ce afin de favoriser l'avancement de votre carrière.

Afin d'établir clairement la philosophie sur laquelle repose notre conception du *Business Golf*, nous avons émis les trois postulats suivants :

- Les relations interpersonnelles sont d'une extrême importance pour favoriser le développement et la croissance des affaires;

• Pour être un leader et obtenir du succès, nous devons améliorer sans cesse nos relations avec les autres;

• Nous croyons que les terrains de golf sont un excellent endroit pour entretenir et développer ces relations.

Combien d'entre nous ont dit ou entendu dire : « Vous devriez vous entraîner sur un terrain d'exercice afin de ne plus penser à votre technique pendant le jeu. » Pourquoi ? Parce que pendant la partie, vous devriez penser à la stratégie et non à la technique. Le *Business Golf* n'est pas différent. Afin d'être détendus et d'assurer le même confort à nos partenaires de golf, nous avons créé nos dix commandements du *Business Golf*: pas «Les Dix Commandements de Dieu», mais plutôt nos propres commandements, qui seront le cœur de ce livre.

Nous croyons que plus vous maîtriserez et intégrerez ces commandements, dans chacune de vos parties de *Business Golf,* plus vous serez en mesure de démontrer non seulement à quel point vous possédez la maîtrise sur le parcours, en termes d'étiquette, de respect des règles et du jeu en général, mais, plus significatif encore, à quel point vous êtes capable de communiquer et de vous comporter intelligemment dans des situations importantes. Ainsi, vos invités se sentiront en confiance et souhaiteront vous revoir afin de discuter d'affaires plus en profondeur.

Nous croyons qu'après avoir terminé la lecture de *Business Golf, Une stratégie gagnante,* vous serez convaincu que vos chances de bénéficier et d'obtenir du plaisir de vos parties de golf vont augmenter considérablement. Maintenant, joignez-vous à nous pour une partie de *Business Golf.*

Introduction

Mon expérience personnelle m'a appris que le golf peut briser les barrières entre les gens et servir de déclencheur pour leur permettre d'échanger librement des idées, tout en bâtissant des relations durables. J'ai rencontré des joueurs avec lesquels je croyais n'avoir aucune affinité au départ, mais en jouant avec eux, j'ai découvert qu'ils n'étaient pas des gens dépourvus d'intérêt. J'ai réalisé que, si je prenais le temps de bien connaître les autres sur le terrain, souvent mon opinion changeait parce que je découvrais leurs bons côtés autant que leurs côtés plus compétitifs. En chacun de nous, il y a un côté compétitif, que parfois nous souhaiterions cacher un tant soit peu.

Je crois que le fait que tout le monde soit relativement égal sur un terrain de golf favorise l'engagement, autant du point de vue personnel que du point de vue professionnel. Cela a peu d'importance que nous ayons des degrés d'habileté différents, car le système des handicaps vient à notre aide. Cela a peu d'importance de savoir combien chacun possède d'argent, car le système des handicaps fonctionne toujours. Il crée l'équilibre et une forme d'égalité. Cela n'a pas plus d'importance de savoir combien chacun a suivi de cours, ou si untel n'en a jamais suivi. Si nous respectons les règles et l'étiquette du golf, nous sommes tous égaux.

Vous pourrez vous émerveiller des coups de vos partenaires et eux pourront faire de même devant les vôtres. Parfois, vous réaliserez des coups que vous croyiez possibles uniquement dans les tournois de la PGA. En d'autres occasions, vous serez émerveillé par un magnifique roulé de 30 pieds. « Super, j'ai bien réussi aujourd'hui. » Si seu-

lement nous pouvions avoir les mêmes émotions et la même attitude dans notre vie de tous les jours.

Pat Summerall

Les 10 commandements du *Business Golf*

1. Déterminez les objectifs de votre partie de *Business Golf.*

2. Choisissez avec soin tous les membres de votre équipe.

3. Arrivez toujours tôt et soyez préparé.

4. Accordez toute votre attention à votre invité et non à votre pointage.

5. Laissez votre orgueil dans votre sac.

6. Montez une équipe complète et jouez sur le départ approprié.

7. Établissez les règles avant de frapper la première balle.

8. Ayez toujours dans votre sac le livre de règlements.

9. Ramassez votre balle au moment opportun.

10. Planifiez un suivi pour chacune de vos parties de *Business Golf.*

PARTIE 1

Les fondements du *Business Golf*

CHAPITRE 1

Comprendre le *Business Golf*

Je crois que le golf a toujours permis aux individus d'abaisser leurs barrières, ce qu'ils ne feraient pas normalement dans le cadre de leur travail, s'ils se trouvaient séparés par un bureau. L'un ou l'autre s'assoirait dans une position ou une situation avantageuse. Plutôt que d'être assis devant ou derrière un bureau, vous vous mesurez au golf dans un rapport plus égalitaire. Le golf égalise les rapports. Si vous vous demandez quel bâton utiliser ou à quelle distance se trouve le vert, il y aura toujours quelqu'un pour vous aider. Si un joueur perd sa balle, les autres la cherchent avec lui. Tout cela fait partie du processus qui consiste à se connaître les uns les autres et à apprendre comment chacun réagit en société. Si nous pouvons nous entendre sur une base sociale et prendre le temps de découvrir les intérêts de chacun, en dehors du travail, nous serons en meilleure position pour conclure des affaires. Peu importe les sommes en jeu, tant et aussi longtemps que nous serons sincères et authentiques les uns avec les autres, le golf aura toujours un côté magique.

Le golf se joue dans un contexte différent de tous les autres sports. Au tennis, vous essayez de battre l'adversaire. En affaires, vous essayez d'obtenir quelque chose de l'autre partie. Au golf, vous n'essayez pas de battre les autres, vous essayez de dominer l'objet, la balle, la carte de pointage, et jusqu'au terrain lui-même. Vous êtes en compétition, mais d'abord et avant tout avec vous-même. Votre attitude devrait être : « Que dois-je faire dans cette bataille avec moi-même, comment puis-je être meilleur ? »

Pat Summerall

Le *Business Golf* peut créer une véritable magie

Nous ne referons pas ici le long historique du golf en tant que sport. Les personnages colorés qui ont fait que ce sport est parvenu jusqu'à nous, ainsi que leurs merveilleuses réalisations, ont déjà été l'objet de nombreux livres. Un lecteur intéressé trouvera une quantité infinie d'ouvrages traitant de l'histoire de ce sport. Toutefois, nous avons noté que peu d'ouvrages s'intéressaient aux relations interpersonnelles qui se créent grâce à de ce sport.

Nous souhaitons aider plus de 35 millions de golfeurs à comprendre pourquoi ce sport est d'abord et avant tout un outil magique pour créer des relations et pourquoi il crée maintenant plus de 15 milliards de dollars de retombées économiques. Aux États-Unis seulement, plus de 480 millions de parties de golf sont jouées chaque année. Nous voulons montrer aux golfeurs que, dans le contexte du *Business Golf,* cela a peu d'importance de jouer avec un handicap de 30 ou d'être un joueur de circuits professionnels. Si vous savez interagir avec les autres et vous comporter convenablement sur le terrain, vous pouvez sans difficulté jouer avec n'importe quel joueur, peu importe son habileté, et ce, tant pour le plaisir que pour les affaires.

Pendant des années, le golf a été un sport réservé à l'élite de la société et essentiellement pratiqué par des hommes. Il s'adressait alors à des hommes riches, de plus de quarante ans, ou à des hommes d'affaires retraités. À cette époque, l'image du succès était représentée par la possession d'une voiture luxueuse et par la capacité de disposer du temps nécessaire pour jouer au golf tous les jours de la semaine. Les employés, qui avaient l'habitude de voir leur patron partir en plein milieu de la semaine, se demandaient comment il pouvait y arriver. Encore aujourd'hui, la plupart des personnalités inscrites sur la liste du magazine *Fortune* indiquent que le golf est leur sport préféré. En général ils encouragent leurs employés à utiliser ce sport pour développer leur réseau d'affaires. Voilà pourquoi ce sport a tellement gagné en popularité.

Par le passé, le golf était perçu comme le jeu des gens riches. Heureusement, cette vision des choses a évolué. De plus en plus de développements résidentiels proposent un golf public à proximité, ce qui illustre bien que ce sport est devenu une passion dans différentes couches de la société. De plus en plus la publicité nous présente des images de jeunes couples ou de retraités heureux, se déplaçant en voiturettes de golf. Même les enfants s'intéressent à ce sport et espèrent en devenir des vedettes. Les femmes, par milliers, découvrent ce sport. Les dirigeantes d'entreprises découvrent qu'elles adorent ce sport, favorisant des changements d'attitude et de réglementation en vigueur depuis des générations. Les couples jouent ensemble. Les plus jeunes passent de beaux moments avec leurs parents et leurs grands-parents sur le parcours. Même les adolescents y fixent parfois leurs rendez-vous amoureux. Il n'y a pas de meilleur endroit pour enseigner et apprendre les valeurs humaines.

Il y a quelques années, l'Internal Revenue Service (IRS) a modifié ses règles afin de ne plus rendre les dépenses de golf déductibles d'impôt. Les propriétaires de clubs de golf et leurs administrateurs sont devenus furieux. Pour ceux qui avaient l'habitude de déduire ces dépenses de leurs revenus, cela faisait toute une différence. Avant ce changement, les gens d'affaires avaient coutume d'inviter leurs partenaires au golf et ensuite d'inclure ces frais dans leurs dépenses. Documentées d'une façon adéquate, ces dépenses étaient déductibles à 100 %. Lorsque l'IRS n'a plus permis ce type de déductions, plusieurs experts ont cru que le golf et ses différents clubs privés en allaient être affectés sérieusement. Erreur. Bien sûr, le fait que ces dépenses ne soient plus déductibles a entraîné des changements quant à savoir, qui paie la note. Mais, compte tenu qu'il est toujours possible de s'y bâtir un solide réseau de contacts, le golf a continué à se gagner de nouveaux adeptes. Si le percepteur imposait le golf comme une obligation pour tous les employés du pays, peut-être passerait-il moins de temps à chercher toutes les autres dépenses mal enregistrées dans les autres postes comptables.

Il y a plus d'une quarantaine d'années, certaines grandes corporations ont commencé à inclure le golf dans leurs plans de marketing. Le Wonderful World of Golf de la Shell Oil Company, ça vous rappelle quelque chose ? Quaker State, R. J. Reynolds Tobacco et Cadillac ont fait de même lorsque l'occasion s'est présentée. La Shell Oil est maintenant de retour sur le terrain de golf, et ce, d'une façon plus importante que jamais puisqu'elle commandite le World Golf Village. Les grandes entreprises et les vendeurs à succès reconnaissent, depuis des années, qu'ils doivent se trouver là où se trouve l'argent s'ils veulent brasser des grosses affaires. De plus en plus de petites entreprises ou d'entrepreneurs profitent des avantages du golf pour promouvoir leur programme corporatif.

Depuis quelques années, des articles de golf personnalisés au logo des entreprises sont offerts aux clients pour souligner l'importance de leurs relations d'affaires; cela fait partie de la stratégie globale de réseautage comme les appels téléphoniques et les cartes de remerciements.

Au cours des dernières années, les clubs de golf publics se sont développés rapidement pour permettre à tous de pratiquer ce sport, même ceux qui n'ont pas les moyens de s'intégrer à des clubs privés. Au cours des années 1960 et 1970, ceux du « big four» - Arnold Palmer, Jack Nicklaus, Gary Player et Tom Watson ont contribué significativement à susciter l'intérêt du grand public pour ce sport. Aujourd'hui, la visibilité du golf s'accroît surtout grâce à la télévision et aux chaînes spécialisées. Récemment, nous avons eu le plaisir de voir même la radio participer à cet essor avec la création de la PGA Tour Radio. Les joueurs, hommes et femmes, profitent aujourd'hui d'une visibilité médiatique exceptionnelle. Les infos pub sur le golf sont visibles jour et nuit. Hollywood a aussi contribué à présenter ce sport comme une occasion d'affaires dans le cadre de la série des James Bond. Même si le golf a été utilisé dans le cadre des affaires dès la construction du vieux St. Andrew en Écosse, c'est aux baby boomers que l'on doit vraiment sa reconnaissance populaire en tant que puissant outil pour bâtir et entretenir des réseaux d'affaires.

Un jeu pour les hommes et les femmes d'affaires

Le golf a évolué autant pour les hommes que pour les femmes d'affaires. La National Golf Foundation estime que deux millions de nouveaux golfeurs deviendront membres de l'association annuellement. Les statistiques sont renversantes : l'âge moyen et le revenu annuel des joueurs pointent vers le bas. Les statistiques sont prometteuses : tout le monde semble pendre plaisir à découvrir ce sport. Il n'existe plus d'excuses pour qui désire apprendre ce sport et profiter des plaisirs qu'il offre. Les fabricants d'équipements et les nouveaux terrains visent une nouvelle génération de joueurs. Selon la National Golf Foundation, le coût moyen pour une partie aux

États-Unis est maintenant inférieur à 30 dollars. Toutes les villes, grandes ou petites, possèdent dorénavant des terrains de golf.

Le coût pour jouer une partie de golf peut varier entre 15 dollars et 350 dollars. Ajoutons à cela le coût des équipements (de 100 dollars à 5 000 dollars, et parfois plus) et l'on comprendra facilement que l'Américain moyen dépense en moyenne 600 dollars annuellement; et nous sommes plus de 35 millions de golfeurs! Bien sûr, le golf exige du temps. Habituellement, un joueur a besoin de trois heures et demie à quatre heures pour compléter un parcours de 18 trous. (Si vous prenez plus de temps, vous devriez peut-être penser à accélérer le rythme, vous retardez, sans aucun doute, d'autres joueurs.)

De plus, bien jouer au golf demande une longue période d'apprentissage. Jouer d'une façon convenable exige en effet un apprentissage à la fois des techniques, des règles et de l'étiquette. Par exemple, il vous faut savoir à quel moment vous devriez laisser passer un groupe de joueurs ou comment agir en fonction du groupe qui vous précède, et connaître des dizaines d'autres aspects du jeu. Si vous avez le privilège d'avoir un bas handicap, vous devrez respecter le rythme des autres. Si vous avez un handicap plus élevé, vous devrez faire preuve d'une certaine modestie pour rester à l'aise pendant la partie. Le golf peut être intimidant, frustrant mais, il est toujours satisfaisant.

En mettant l'accent sur l'idée d'utiliser le golf comme un outil de travail, nous souhaitons aider les golfeurs à mieux comprendre le volet humain du golf. Des études récentes ont évalué à près de deux milliards de dollars les sommes annuelles investies dans un contexte d'affaires au golf. Selon notre expérience et un nombre incalculable de rencontres, nous croyons que ces sommes sont souvent dépensées inutilement. Peu de gens savent communiquer efficacement, surtout dans le cadre des affaires, et encore moins communiquer et agir convenablement sur un terrain de golf. Actuellement, nous ne sommes pas en mesure d'évaluer la valeur des transactions d'affaires résultant de relations établies ou approfondies sur un terrain de golf. Toutefois, nous reconnaissons que des affaires de plusieurs millions de dollars sont directement attribuables au golf.

L'expérience japonaise a fait toute la différence

Notre compagnie courtisait un conglomérat japonais. Nos homologues décidèrent de visiter nos bureaux et nos magasins dans différentes régions des États-Unis afin de mieux connaître notre entreprise. Avant leur arrivée, un agenda de travail avait été établi, incluant, entre autres, une partie de golf. Je n'aurais pas su dire qui profiterait davantage de la portion golf de notre rencontre, eux ou moi.

Quatre personnes se sont donc déplacées, notamment le grand patron responsable d'une entreprise de plus de 15 milliards de dollars et trois directeurs représentant individuellement des divisions dont le budget oscillait de 1 à 3 milliards de dollars. Rapidement, nous avons pu découvrir qui était le grand patron.

Nous avions prévu deux quatuors : le grand patron, les directeurs, moi-même et trois autres chefs d'entreprises locales qui allaient sûrement profiter de cet échange à caractère international. À l'exception de mes invités japonais, tous les autres joueurs comptaient parmi mes amis personnels. Curieusement, nos invités japonais n'avaient pas apporté leurs bâtons de golf, mais avaient leurs souliers, leurs gants et une jolie garde-robe de golf. J'ai donc conclu différents arrangements afin d'obtenir, pour eux, les meilleurs équipements disponibles. J'ai aussi apporté, pour chacun, une douzaine de balles arborant le logo de notre entreprise.

Tout de suite après le repas, nous avons entamé notre journée de golf. Nous sommes d'abord passés au terrain d'exercice avant de commencer la partie. Le grand patron se présentait manifestement comme le meilleur joueur et possédait une carte de membre valant plus d'un million de dollars dans un sélect club japonais. Les directeurs, eux, avaient l'habitude de jouer trois ou quatre parties par année. Tous les participants appréciaient la beauté du site. Nous profitions d'une journée formidable. Malgré une certaine difficulté de communication attribuable à la langue, nous nous sommes débrouillés avec le langage universel des gestes. Lorsque la situation le demandait, nous avions recours à un interprète qui faisait la navette entre nos deux quatuors.

Notre journée s'est terminée au vestiaire, où j'avais pris soin de commander des rafraîchissements et des hors-d'œuvre. Par l'entremise de leur interprète, nos invités nous ont remerciés et nous ont dit qu'ils garderaient un souvenir éternel de cette journée.

Au cours du mois suivant, nous avons conclu différentes ententes commerciales. Aujourd'hui, nos ventes annuelles totalisent plus de 250 millions avec ce conglomérat.

Invariablement, lorsque nous allons au Japon, nos partenaires japonais nous reparlent de cette journée.

Pensez à toutes les organisations, agences, associations et corporations qui s'allient au golf. Les chambres de commerce de nombreuses villes commanditent des tournois annuels afin d'aider leurs membres à bâtir et à élargir leurs réseaux. Des concessionnaires automobiles, des cabinets d'avocats, des firmes comptables et un nombre incalculable d'organismes sociaux commanditent des tournois de golf. Deloitte et Touche, KPMG, Ernst et Young commanditent des joueurs professionnels afin que ceux-ci portent leurs logos. Anderson Consulting commandite chaque année un événement de la PGA. Price Watherhouse fournit le tableau de pointage de la PGA. Buick, Cadillac et Prudential sont d'autres grandes entreprises qui utilisent le golf comme outil promotionnel.

La plupart des clubs de golf font des collectes de fonds à caractère social ou charitable. Les membres de clubs s'associent à divers événements et font un usage charitable de leurs réseaux de contacts. Dans bien des cas, les tournois ne pourraient exister sans la contribution d'un nombre important de bénévoles, qui vont parfois jusqu'à payer leurs propres uniformes. Les banques, les compagnies d'assurances et autres corporations utilisent les tournois de golf pour aider des bonnes œuvres et encouragent leur personnel à y participer.

Pourquoi le golf est-il un outil de promotion aussi puissant ? La réponse est simple. Essayez de nommer une autre activité où vous avez l'opportunité de passer plusieurs heures avec d'autres joueurs, dans une atmosphère calme, intime, amusante, dans un décor d'une grande beauté, et où vous aurez l'occasion de développer un solide réseau de contacts.

Le golf, lorsqu'il est pratiqué convenablement, est une activité pouvant contribuer au développement de meilleures relations d'affaires bien mieux que des rencontres rapides, en face à face, dans un bureau ou un restaurant. Vu sous cet angle, le golf n'a aucun compétiteur.

Même avec un handicap de 12, vous pouvez obtenir un pointage exceptionnel

Nous gardons un excellent souvenir d'une partie de golf jouée récemment au World Village Course près de St. Augustine. Ce parcours, connu sous le nom de Slammer and the Squire, a été conçu par Bobby Weed en collaboration avec Sam Snead et Gene Sarazen. Reconnu parce qu'il est utilisé pour le championnat de la National Collegiate Athletic Association (NCAA) qui est diffusé par ESPN, ce site accueille de nombreux autres tournois professionnels. Un jour, nous avons joué en trio à cause du retrait, à la dernière minute, d'un collègue banquier de Tallahassee. C'était le jour précédant le tournoi de la NCAA, le terrain était difficile mais dans une condition exceptionnelle.

Parmi nos invités, nous comptions un autre banquier, celui-ci originaire de Jacksonville, dont le handicap était de 12. Bien que le parcours fût situé à proximité de son lieu de résidence, il n'y allait jamais. Afin de compléter notre groupe, Ray Oldham s'est joint à nous. Ancien joueur de la NFL et désormais propriétaire d'une chaîne de nettoyeurs à sec, Ray avait un très faible handicap. Reconnu comme un formidable joueur de *Business Golf*, il était des plus agréables à côtoyer.

Tout au long du parcours, nous avons partagé nos expériences et diverses anecdotes, le tout dans une atmosphère désinvolte, nous avons discuté de différents projets pour lesquels le banquier aurait pu nous offrir des solutions de financement. Celui-ci nous informa de ses attentes et de la documentation requise dans le cadre de nos projets spécifiques, ce qui permettrait ainsi à chacun de mieux faire ses devoirs avant de passer à une deuxième étape avec le banquier. Nous avions convenu de faire une partie de suivi à Chattanooga, là où notre banquier effectuerait une visite aux locaux de l'entreprise de Ray.

Lorsque nous avons additionné nos cartes de pointage, notre extatique banquier avait remporté la partie avec un pointage enviable de 79, attribuable, entre autres choses, à ses trois oiselets et à un roulé fantastique au dernier trou, malgré des vents de plus 25 kilomètres à l'heure. Au départ, nous savions que notre banquier se sentait nerveux, même s'il ne l'admettait pas. Nous avions passé une journée formidable, chacun s'y étant bien amusé, tout en atteignant nos objectifs.

Un segment en croissance

Le segment dont la croissance est la plus rapide dans le monde du golf est celui des femmes. Cela crée un impact très positif sur le sport. La Ladies Professional Golf Association (LPGA) attire une participation considérable et connaît une croissance rapide. L'Executive Women's Golf Association, fondée en 1991, compte plus de 14 000 membres, 83 nouvelles sections aux États-Unis et de nouveaux chapitres s'ajoutent mensuellement. À Atlanta, la section a même une liste d'attente. Leurs tournois suscitent une grande attention partout au pays. La croissance du nombre de joueuses et l'élargissement de la clientèle féminine profitent aux clubs de golf, qui constatent, tout au long de l'année, une utilisation optimisée de leurs installations.

Certains dirigeants de grandes entreprises sont dorénavant des femmes. Celles-ci atteignent des postes de haute direction et reconnaissent, de plus en plus, l'importance d'établir des relations par l'entremise du golf. Les femmes semblent avoir un sens particulier, elles sont plus intuitives que les hommes. Traditionnellement, les hommes comptent davantage sur leur logique, les femmes, de leur côté, dépendent davantage de leurs émotions. Elles reconnaissent, plus instinctivement, la valeur du *Business Golf*. Les hommes prennent plus de temps à en constater la valeur réelle.

Au fil du temps, il y aura de plus en plus de mères avec leurs fils, de pères avec leurs filles et de couples sur les terrains de golf. Le golf de charité prend également une importance grandissante; de ses activités, les femmes ont une représentation en croissance rapide. Les occasions d'affaires au golf ne sont plus la chasse gardée des hommes.

La présence des femmes au golf

Je recommande fortement à toutes les femmes d'affaires de s'impliquer dans ce sport. Je les encourage à suivre des cours, surtout si elles ont de grandes ambitions dans le domaine des affaires ou de la vente. Les femmes jouant régulièrement au golf seront avantagées dans le développement de leur carrière et dans l'avancement de leurs affaires. Chaque fois qu'elles se présentent sur le terrain, elles disposent d'un avantage de quatre heures sur leurs compétiteurs, et ce, sans compter leur visibilité additionnelle auprès de leurs clientèles et de leurs collègues.

Une directrice de banque affirme...

Au cours des prochaines années, la stratégie qui consiste à utiliser le golf comme outil de développement des affaires connaîtra une croissance sans précédent. Longtemps occupés presque exclusivement par les hommes, les terrains de golf constateront une augmentation significative de leur clientèle féminine aspirant elle aussi aux succès et au développement des affaires.

Les résultats obtenus seront les mêmes tant pour la clientèle masculine que pour la clientèle féminine en matière de *Business Golf*. Apprenez à agir de façon à obtenir des résultats, concentrez-vous sur vos rapports avec vos invités plutôt que sur votre carte de pointage. Et, qui sait, vous jouerez peut-être votre prochaine partie de *Business Golf* avec une personne du sexe opposé.

Notre directrice bancaire ajoute

Après avoir obtenu un accord verbal pour une affaire intéressante, j'ai été impliquée dans un lourd processus de négociations visant à finaliser nos différents contrats. À un certain moment, nous avons connu des difficultés suffisamment sérieuses pour que les avocats des deux parties nous recommandent d'interrompre les négociations.

Ce vendredi matin, j'ai donc contacté directement mon client pour fixer une rencontre d'urgence en face à face. Mon client m'a répondu qu'il aimait jouer au golf le vendredi et m'a proposé de faire la rencontre sur le terrain de golf. Par bonheur, notre avocat était membre du club en question et il a pris les arrangements nécessaires pour organiser une partie l'après-midi même. Dans un environnement détendu, nous avons finalement trouvé des solutions à nos différends et nous avons conclu définitivement nos ententes.

Le pointage ne compte pas

Afin d'utiliser le golf comme un outil de développement d'affaires, on doit connaître le jeu, apprendre à agir avec les autres, se contrôler soi-même, comprendre les règles et l'étiquette et développer de bonnes habiletés de communication. Un golfeur débutant devrait investir dans quelques cours. Un bon entraînement hebdomadaire et quelques leçons abaisseront à coup sûr votre handicap et vous procureront du plaisir pendant vos parties.

Gardez à portée de la main un vieux bois, un fer ou même un fer droit. Offrez-vous le loisir d'utiliser l'un de ses bâtons au bureau pendant une conférence téléphonique. Mettez le téléphone en mode « main libre », et profitez du moment.

Il existe une chose à laquelle vous pourrez apprendre à jouer parfaitement, c'est le *Business Golf*, car le pointage n'y compte pas. Est-ce que cela veut dire que vous ne devriez pas faire de votre mieux ? L'objectif est d'apprendre à jouer avec n'importe quel joueur, peu importe l'habileté de chacun, sans peur ni préjugé. Même un joueur avec un handicap élevé doit pouvoir jouer une partie avec confiance. La clef du succès n'est pas votre pointage, mais plutôt la façon dont vous vous comportez dans vos relations avec les autres. Par exemple, vous devez savoir quand ramasser votre balle. Ce simple geste accélérera le jeu et démontrera la considération que vous avez pour les autres. Si vous passez une mauvaise journée, il est important de ne pas faire subir de pression aux gens qui vous accompagnent. Votre groupe doit toujours pouvoir jouer une partie de golf à un rythme normal et détendu.

Conséquemment, le joueur avec le handicap le plus bas doit faire en sorte que le joueur avec le handicap le plus élevé se sente à l'aise. Il ne devrait jamais intimider le reste du groupe. Dans le *Business Golf* comme dans n'importe quelle partie de golf, le joueur le plus talentueux devrait toujours appuyer et encourager le reste du groupe. L'organisateur de la partie ne devrait pas tenter d'attirer toute l'attention sur lui-même, mais plutôt sur ses invités. Savoir qui joue le mieux a si peu d'importance. Bien sûr, nous n'encourageons pas le joueur le plus talentueux à faire de mauvais coups pour se mettre au niveau des autres. Dire d'une façon détendue « Je n'ai pas joué comme aujourd'hui depuis des années » ou « Votre présence me porte chance » peut mettre tout le monde plus à l'aise. Le joueur le plus talentueux doit apprendre à jouer avec des joueurs moins expérimentés ou moins talentueux de façon à éliminer toute source de stress ou de tension.

Nous devons tous commencer quelque part et survivre à quelques misérables parties de golf. Pour certains d'entre nous, qui sont plus compétitifs, et ce, peu importe le handicap, le degré de frustration risque d'être visible. Toutefois, les joueurs expérimentés devraient faire preuve d'une grande délicatesse lorsqu'ils jouent avec des golfeurs moins expérimentés. Impressionnez vos partenaires non seulement par la qualité de vos coups, mais, plus important encore, par votre humilité et votre délicatesse.

Mon succès en affaires est entièrement attribuable au golf et soit dit en passant, j'ai un handicap de 20.

- Un représentant dans le domaine manufacturier

CHAPITRE 2

Un terrain de golf privé ou public

Sur tous les terrains de golf, le personnel vous recevra bien, mais à Winged Foot vous serez reçu d'une façon unique. Le pavillon y est particulièrement chaleureux. Étant donné sa proximité de la ville de New York, vous aurez l'impression d'être entouré d'hommes et de femmes d'affaires prestigieux et de joueurs de golf sérieux.

Être ainsi éloigné du bureau peut paraître, pour certains, une véritable perte de temps, mais ces golfeurs sont probablement en train de conclure plus d'ententes d'affaires que n'importe où ailleurs.

Pat Summerall

Aux États-Unis, il existe plus de 5000 clubs de golf privés. Certaines régions en semblent saturées. Dans le comté de Broward et Dade en Floride, on dénombre plus de 300 clubs privés et publics, et d'autres sont déjà en chantier. La construction de clubs de golf connaît un essor plus rapide que jamais par le passé. Dorénavant, les terrains de golf font partie intégrante des nouveaux développements résidentiels. Certains promoteurs font preuve d'une grande créativité en utilisant des parcelles de terrain afin de construire des terrains de golf près des lieux de travail.

Les terrains d'exercice et les écoles de golf constituent désormais de belles opportunités d'affaires susceptibles de répondre aux besoins des entreprises et des familles.

Les terrains de golf privés

Plusieurs terrains de golf visent une clientèle très ciblée. Dans certains cas, les frais d'adhésion peuvent être supérieurs à 100 000 dollars, ce qui a pour but d'en limiter l'accès à une catégorie de joueurs fortunés. Un comité est nommé afin d'accepter ou de refuser les candidatures, et ce, peu importe la capacité de payer du joueur. Cette pratique peut paraître injuste, mais il en est ainsi dans plusieurs clubs depuis des générations. Une lettre de références d'un membre du club peut même être exigée. Malgré ces exigences, souvent perçues comme démesurées, certains clubs obtiennent tellement de succès qu'ils ont de longues listes d'attente.

Être membre d'un club de golf privé procure plusieurs avantages. Toutefois, cela n'est pas nécessaire pour pratiquer le *Business Golf*. On dénombre deux fois plus de clubs publics que de clubs privés. Des contacts et de nouvelles relations d'affaires peuvent se développer, tout aussi efficacement dans le club public, à condition que l'on sache utiliser efficacement ses compétences.

À Preston Trail, à Dallas, les meilleurs repas vous seront servis. Vous n'avez pas à confirmer votre départ. Vous vous présentez et jouez. Une règle interdit de parler d'affaires sur le terrain, mais tout le monde le fait quand même.

Pat Summerall

Les clubs privés : être actionnaire ou non

Le choix d'un terrain de golf repose sur trois facteurs : l'argent, le parcours et le type d'adhésion. En supposant que l'argent ne soit pas un problème et que le terrain soit convenable, concentrons-nous alors sur les différents aspects de l'adhésion. Il existe deux catégories de membres dans les clubs privés - celle dans laquelle vous êtes actionnaire et celle dans laquelle vous ne l'êtes pas.

Chaque type d'adhésion a ses avantages et ses désavantages. La formule avec participation au capital se compare à l'achat d'une action en Bourse. Ce type d'adhésion est généralement plus coûteux que celui qui est sans participation au capital. Chacun impose des frais mensuels. Dans une formule participative, les membres possèdent chacun une partie des actions du club. Ils choisissent un conseil d'administration responsable de la gestion. Plusieurs entreprises de gestion se spécialisent dans ce domaine et administrent quotidiennement le club en fonction des directives du conseil d'administration. Habituellement, le club établit des politiques sur la façon et les conditions dont un membre peut vendre sa part. Dans la plupart des cas, la valeur d'une part varie et le membre peut vendre sa part en fonction de la valeur établie. Certains clubs limitent la remise faite aux membres au moment de la vente de son titre de propriété. C'est le cas dans certains grands clubs prestigieux. D'autres clubs n'offrent aucune forme de remboursement, et ce, peu importe la valeur ou la durée de l'adhésion.

La formule sans participation au capital impose des frais d'adhésion et des frais mensuels. Dans ce cas, les membres n'ont pas de droit de vote, ne participent pas à la gestion du club et doivent se soumettre aux politiques et aux règles établies par la direction du club. Parfois, la direction peut créer un conseil de gestion ou une autre forme de comité consultatif. Bien entendu, il faut comprendre que les politiques du club auront un effet direct sur les frais d'exploitation.

La formule sans participation est aussi connue sous l'appellation de terrain semi-privé, car dans certaines occasions, le grand public peut y jouer. Ce type de formule est fréquemment utilisé dans des environnements où les saisons créent une variation significative de l'achalandage. Les gestionnaires agissent ainsi afin de maximiser ou de maintenir leur rentabilité.

Peu importe le type de club que vous choisirez, assurez-vous de bien connaître son fonctionnement. Posez des questions sur les privilèges, la réciprocité avec d'autres terrains, les tournois, les limitations et toutes les autres conditions qui pourraient jouer sur votre plaisir d'être membre de ce club.

Rencontrez le responsable des relations avec les membres. Certains clubs sont composés essentiellement de personnes retraitées. Si vous faites partie de ce groupe et souhaitez vivre dans ce type d'ambiance, vous êtes au bon endroit. Par contre, les clubs installés dans de nouveaux développements résidentiels recrutent généralement une clientèle plus jeune ou plus familiale. Certains offrent des programmes pour les joueurs juniors. Trouvez un endroit qui répondra à vos besoins et à ceux de vos proches.

Les repas

Assurez-vous que les repas seront une expérience agréable, prenez le temps de rencontrer le personnel des services de restauration et de cuisine.

Lorsque vous aurez adhéré à un club en particulier, faites un effort pour rencontrer et connaître rapidement les gens de ce club, ils l'apprécieront et vous recevrez sans aucun doute un service d'une qualité accrue. Même dans les clubs publics, vous devriez prendre le temps de vous présenter et de présenter vos invités aux différents membres du personnel. Soyez certain qu'ils ont tous un impact sur le déroulement de votre journée de golf. Ce sont des professionnels de l'industrie touristique et eux aussi souhaitent que vous passiez une magnifique journée. Bien sûr, il y aura toujours des cas à part, nous connaissons tous des gens mal intentionnés, mais ils ne sont qu'une infime et malheureuse exception. Généralement, ils ne restent pas bien longtemps au même endroit. En prenant le temps de développer une bonne relation avec le personnel (apportez des bagels à l'occasion ou des billets pour un événement sportif), vous créez de l'enthousiasme autour de vous et subitement vous profiterez d'attentions toutes particulières.

Certains clubs insistent auprès de leur personnel pour qu'il maintienne des rapports formels avec les membres; d'autres préfèrent une atmosphère plus détendue. Si cela a de l'importance pour vous, vérifiez les habitudes du club.

Les pourboires

La plupart des clubs privés interdisent les pourboires et les membres respectent cette consigne. D'autres clubs considèrent que les pourboires font partie intégrante des services reçus. Certains clubs ajoutent automatiquement de 15 à 25 % de pourboire sur les additions de nourriture et de boissons, alors que d'autres proposent un minimum mensuellement. Les cigares et certains autres services sont parfois exclus de la formule du pourboire obligatoire.

À l'occasion de la période des fêtes, une attention particulière est recommandée envers les employés qui ont été spécialement accueillants et attentifs à vos besoins. Toutefois, la grande majorité des clubs privés tefois, la grande majorité des clubs privés vous proposeront de contribuer à un fonds, qui sera partagé entre les membres du personnel selon différentes formules, lesquelles tiennent compte de l'ancienneté ou d'autres facteurs. Généralement, cette méthode est moins coûteuse et plus équitable pour l'ensemble du personnel. Peu importe les solutions proposées par votre club, nous vous recommandons de suivre les consignes. Si vous souhaitez offrir quelque chose de spécial à un employé en particulier, des billets pour une activité culturelle ou sportive sont généralement une bonne idée.

Avant de faire son choix

- Le club fait-il de la promotion afin de recruter de nouveaux membres et quelle est la clientèle visée ?
- Quelles sont les règles de fonctionnement du club ? Les enfants sont-ils admis ?
- La majorité des membres sont-ils de jeunes professionnels ou des retraités ?
- Le club est-il situé près d'un projet d'autoroute ou d'une autoroute ?
- Le club organise-t-il des activités afin de faciliter la rencontre des membres ?
- Le club offre-t-il des services de restauration de qualité?
- Le professionnel est-il actif dans l'organisation de tournois ou d'activités favorisant la rencontre des membres ?
- Le club a-t-il un programme convenable d'entretien du terrain ?
- Depuis combien de temps le directeur du terrain et le professionnel sont-ils en fonction ? Quelle est leur expérience ?

- Des activités de construction ou d'agrandissement du terrain sont-elles prévues ?

- Le club publie-t-il un calendrier d'événements ou un bulletin mensuel d'informations ?

- Le club est-il affilié à d'autres clubs ? (Certains propriétaires ou gestionnaires exploitent plusieurs terrains de golf. Parfois, ils offrent des programmes vous permettant de jouer occasionnellement sur leurs différents parcours.)

D'une façon générale, vous devez considérer plusieurs facteurs avant de choisir votre club.

Dans un club privé, il est plus facile de développer des relations d'affaires avec les membres. Traditionnellement, les gens ont l'habitude de se présenter en fonction d'un horaire régulier. Dans ce contexte, vous aurez de meilleures occasions de rencontrer les mêmes personnes sur le parcours et d'apprendre à les connaître.

Les golfs publics sont parfois les terrains les plus excitants au monde, mais la clientèle se compose essentiellement de joueurs de passage. Par conséquent, il y est plus difficile de jouer régulièrement avec les mêmes personnes. Peu importe votre choix, vos compétences en matière de *Business Golf* peuvent être acquises et mises en pratique sur tous les terrains : voilà ce qui nous apparaît important.

À plusieurs endroits, les cellulaires et les téléavertisseurs sont interdits autant dans le pavillon que sur le parcours. Les membres se présentent sur le terrain pour le plaisir du jeu et ne souhaitent pas être dérangés par des affaires courantes.

Chaque club a la liberté d'organiser son fonctionnement à sa façon; nous devons respecter ce droit et toujours suivre les règles. Si malheureusement un invité se sent mal à l'aise avec ces règles, les probabilités sont grandes qu'il n'y sera plus invité ou admis. En refusant de suivre les règles, quelles chances aurez-vous d'établir et de développer des relations significatives ?

Les golfs publics

Aux États-Unis, on dénombre plus de 11 000 clubs de golf publics, dont plus de 2500 sont des clubs municipaux. En fonction de vos habiletés de communication, des occasions d'affaires et des rencontres significatives peuvent se produire aussi bien dans les clubs publics que dans les clubs privés. Bien sûr, les golfs publics offrent des installations de qualité variable; certains sont de véritables champs de vache, d'autres sont des endroits magnifiques et entretenus d'une façon exceptionnelle.

Mes parcours préférés sont le Reynolds Plantations près d'Atlanta et le World Woods Golf Course à Brooksville. Récemment, ce dernier fût récipiendaire du prix du meilleur nouveau terrain de golf au pays.

En tenant compte de tous les coûts, vous réaliserez que fréquenter un bon terrain est toujours préférable. Si vous souhaitez faire des affaires, plongez et choisissez un terrain de qualité. Aucun invité, peu importe votre domaine d'affaires, ne sera insulté de faire l'objet d'un traitement de première classe.

Des terrains publics de haute gamme se construisent partout au pays. Ces clubs, malgré leur ouverture au grand public, vous donneront le sentiment de fréquenter un terrain privé. Plusieurs ont de magnifiques boutiques, des installations de qualité, des programmes exceptionnels de formation et des pavillons de toute beauté, rivalisant avec ceux de plusieurs clubs privés.

Certains de ces parcours ont été conçus par le célèbre joueur professionnel Gary Player. Le Robert Trent Jones

Trail, en Alabama, est sans aucun doute le plus connu. Bien sûr, les frais sont un peu plus élevés que dans un club public standard, mais vous en aurez pour votre argent, et quel endroit magnifique pour une partie de *Business Golf* !

Les « resort golf »

Parmi les autres choix qui s'offrent à vous, les « resorts-golf » constituent une alternative intéressante pour recevoir vos invités. Généralement, on vous offrira la possibilité de jouer une journée ou de séjourner sur le site pendant plusieurs jours. Bien sûr, si vous faites le choix de rester quelques jours, assurez-vous qu'aucun tournoi n'est inscrit à l'horaire et qu'aucun programme d'entretien majeur du terrain n'est prévu. Afin d'éviter ce genre de situation et de fidéliser leur clientèle, les resorts golf de qualité disposent d'un programme de gestion des départs. Essentiellement, vous disposez, pour une journée ou quelques jours, de votre propre club privé sans devoir supporter le coût des frais d'adhésion, simplement en assumant un coût un peu plus élevé pour chacune des parties. Boulders South (Carefree, Arizona), Innisbrok and Saddlebrook près de Tampa, PGA West (Palm Springs) en sont de bons exemples. Bien sûr, il y a aussi le Pinehurst en Caroline du Nord où les installations, les services et la nourriture sont excellents. Les « resorts-golf » présentent un cachet particulier, plusieurs sont le lieu d'attache de professionnels du circuit et offrent une véritable atmosphère de tournois professionnels. Les endroits de grande qualité et de prestige pour entretenir des relations d'affaires gagnantes ne manquent pas.

Le TPC Sawgrass

Malgré son ouverture relativement récente en 1982, ce terrain sera sans doute familier à vos invités, puisqu'il est reconnu pour accueillir le Players Championship. Tous les joueurs qui visitent ce terrain pour la première fois sont impatients de se rendre au 17e trou, un par trois dont le vert est situé sur une île. Peu importe que votre balle tombe sur l'île ou dans l'eau, ce magnifique trou restera longtemps, pour vos invités et vous-même, un sujet de discussion. Lieu de résidence du PGA Tour, il a vu des affaires importantes y être conclue. Le terrai d'exercice est fantastique.

Pat Summerall

Les pourboires – autres réflexions

Lorsque vous laissez votre automobile, remettez au voiturier ou à l'un de ses assistants quelques dollars. Faites de même quand vous partez. Plusieurs clubs vous offriront des services de voiturier afin de nettoyer vos bâtons à la fin de la partie et de les remettre dans votre voiture. Rien n'est plus désolant que de voir une personne sauter rapidement dans sa voiture afin d'épargner un pourboire, ce qui laisse une très mauvaise impression.

Lorsque vous suivez des cours, si le professionnel prend plus de temps que prévu avec vous, il le fait sur son propre temps. Soyez généreux et récompensez son effort d'un pourboire.

Dernièrement, je me suis inscrit pour une leçon d'une heure à mon terrain de golf en Floride. Notre assistant pro, Rich, n'était pas satisfait du progrès que j'avais accompli pendant ma leçon de 60 minutes. Il a décidé de poursuivre pendant 40 minutes supplémentaires. Il a agis ainsi de sa propre initiative et j'ai apprécié sa délicatesse. Afin de le remercier, je lui ai payé le tarif de deux heures, même s'il ne m'en facturait qu'une seule.

John Creighton

CHAPITRE 3

La communication

Dans le monde d'aujourd'hui, le besoin de comprendre les autres et d'être compris est plus grand que jamais. Comment pouvons-nous communiquer mieux ? Comment faire pour éviter les malentendus ? Comment améliorer notre image ?

Peut-être devrions-nous envisager nos rapports avec les autres sous un nouvel angle. Comment pouvons-nous être davantage à l'écoute ? Comment mieux comprendre le point de vue des autres ? Au fond, il s'agit de s'arrêter un instant, de mettre ses objectifs personnels en veilleuse, d'écouter les autres et de comprendre leurs visions du monde.

S. I. Hayakawa

Une partie de *Business Golf* doit avoir comme objectif de vous permettre de créer ou d'approfondir des liens avec un partenaire d'affaires, un client actuel ou potentiel, ou toute autre personne pouvant favoriser le développement et l'avancement de vos affaires. Pour cela, vous devrez mettre votre « moi » de côté et prêter toute votre attention à vos invités.

Peu importe qui vous choisissez d'inviter pour une partie de *Business Golf*, vous devez savoir créer des liens afin d'atteindre vos objectifs d'affaires. Savoir créer des liens est sans aucun doute la façon la plus rapide et la plus efficace de bâtir de solides relations d'affaires. Insistez sur les objectifs communs de vos entreprises et minimisez les éléments qui vous différencient. Rien ne vous oblige à aimer une personne pour entretenir avec elle des liens harmonieux; bien sûr, cela est souhaitable, mais l'essentiel est que tous les deux vous poursuiviez des objectifs communs et obteniez des résultats satisfaisants pour chacun.

Observer les différents comportements sur un terrain de golf constitue toujours une source d'amusement, d'humilité et de frustration. Nous avons tous vu des golfeurs de tous niveaux avoir des comportements disgracieux. Pas étonnant que des milliers, voire des millions de dollars de potentielles ententes commerciales se ont été perdus en une seule partie de golf.

Pourquoi certains golfeurs ne voient-ils pas que leurs comportements rendent impossibles toutes relations d'affaires significatives avec leurs invités ? Bien sûr, l'aspect compétitif du sport peut être une partie de la réponse, tout comme l'habitude de certains de vivre dans un environnement stressant. Toutefois, nous croyons que, peu importe les motifs, l'esprit de compétition excessif est l'une des principales raisons pour laquelle autant d'occasions d'établir de solides relations d'affaires échouent sur les terrains de golf. Nous devons trouver en nous-mêmes les ressources nécessaires pour jouer une bonne partie. Malheureusement, certains dépasseront toujours les limites du bon sens afin d'atteindre leurs buts.

Écouter

Sans qu'il soit nécessaire de revenir sur les bases d'un cours de communication, nous devrions tous être d'accord pour affirmer que l'écoute représente un mode de communication parfois plus efficace que la parole. Posez des questions ouvertes et sincères afin de mieux découvrir vos invités et leurs intentions d'affaires. Votre façon de communiquer aura un impact significatif sur la volonté de vos invités de poursuivre, ou non, des relations d'affaires avec vous.

Pat et son ami, le numéro sept, Mickey Mantle

Mickey Mantle et moi avions l'habitude de jouer au golf ensemble jusqu'à deux fois par semaine. Un jour, il m'interrogea au sujet du fonctionnement du Betty Ford Center. Il était conscient de son problème d'alcool, mais pas suffisamment décidé pour passer à l'étape du traitement. Par suite de nos longues conversations sur le parcours, il réalisa que son problème devenait sérieux.

« As-tu eu du bon temps lorsque tu es allé au Betty Ford Center? » me demanda-t-il un jour. Je lui répondis que je n'étais pas allé là pour avoir du bon temps. Ma réponse le plongea dans un long silence.

La semaine suivante, il revint à la charge et me demanda : « Dis-moi, c'est comment ? » Finalement, il me demanda : « Penses-tu que je pourrais être admis ? » Il savait qu'il avait besoin d'un traitement, et il savait qu'il pouvait compter sur mon aide. J'appelai au Betty Ford Center et je pris les arrangements pour son admission.

Moi, moi, moi !!!

Avez-vous déjà joué une partie de golf avec une personne totalement imbue d'elle-même ? Vous savez, le genre d'individu qui parle constamment de lui-même, qui porte peu ou pas d'intérêt aux autres ? Ses deux mots préférés sont « moi » et « je ». Tous les clubs comptent un ou deux membres qui se comportent ainsi. Ils se plaignent constamment : le vert est trop rapide ou trop lent. Passer le râteau dans la trappe de sable ? Jamais. Quelqu'un d'autre va le faire. Se soucier de ne pas gêner les autres sur le vert ? Pourquoi ? Pourtant, ce sont ces mêmes personnes qui se plaignent de la difficulté de faire des affaires sur un terrain de golf. « Pourquoi est-ce que ça ne fonctionne jamais pour moi ? Quel est le lien ? » Ils ne le devineront peut-être jamais.

Créer des liens selon Stanley

Le sud-est de l'Idaho compte un nombre impressionnant de golfeurs amateurs. Étonnant, car la saison de golf est particulièrement courte dans ce coin du pays. J'ai déjà entendu quelqu'un dire qu'il y a trois saisons en Idaho : juillet, août et l'hiver. Pour cette raison, les résidents de ce coin de pays tentent de profiter au maximum de leur courte saison de golf. Lorsque le temps le permet, les terrains de golf sont achalandés au maximum, et on compte un nombre incalculable de tournois. Pour certains, il n'est pas rare d'en faire deux la même journée. C'est dans ces circonstances particulières, dans la ville de Pocatello que l'événement suivant a eu lieu.

Nous formions, trois amis golfeurs et moi, un quatuor lors d'un tournoi de deux jours de type « meilleure balle ». Ce tournoi se déroulait sur un terrain municipal. Nous étions quatre golfeurs d'expérience et nous avions de bonnes raisons de croire que notre équipe allait performer dans sa catégorie. À la fin de la première journée, notre équipe avait perdu plusieurs balles et nous étions en mauvaise posture. En terminant notre 17e trou, nous étions résignés et nous avons pris la décision de nous détendre et de jouer simplement pour le plaisir.

Lorsque nous sommes arrivés au départ du 18e trou, l'équipe devant nous se préparait à frapper ses premières balles. Stanley, un excellent golfeur, faisait partie de l'équipe qui nous précédait. Il était particulièrement doué, possédant tout ce qu'un golfeur rêve d'avoir : du talent avec les bois, les fers et même sur le vert. Toutefois, il avait un tempérament explosif et des fusibles qui sautaient particulièrement vite.

Stanley s'apprêtait à frapper lorsque nous sommes arrivés au 18e trou. Il contrôlait parfaitement son élan, une beauté, une réplique de Fred Couples. Il frappa un coup magnifique, sa balle se dirigea au beau milieu de l'allée. Dans les airs, sa balle parcourut plus de 270 verges avant de retomber au sol, enfin presque sur le sol. En fait, sa balle atterrit sur la tête d'un arroseur automatique. Elle fit alors un bond inattendu et se retrouva en dehors de l'allée, dans un endroit recouvert de feuilles mortes.

Stanley n'en croyait pas ses yeux. En jurant, il lança son bois avec rage. Celui-ci fit un bruit épouvantable, atteignit une altitude étonnante et retomba dans un arbre. Même un aigle n'aurait jamais pu l'accrocher aussi parfaitement.

La rage de Stanley monta d'un cran. Il courait en rond autour de son tee. Finalement, après un moment, il s'arrêta, prit des branches et des cailloux et commença à les lancer dans l'arbre. Ses efforts ne donnèrent aucun résultat. En fait, l'une des branches réussit même à enfoncer davantage son bâton. Afin d'aider Stanley, tous les membres de son équipe commencèrent bientôt à tenter par divers moyens de décrocher le bâton. Rien à faire.

Toute cette agitation et ce bruit attirèrent l'attention du responsable du tournoi, qui s'amena rapidement afin de contrôler la situation. Après avoir évalué celle-ci, il rappe-

la à Stanley que son groupe retardait les autres joueurs et que s'il ne reprenait pas immédiatement le jeu, il devrait lui imposer une pénalité de deux coups. Cet avertissement était la dernière chose dont Stanley avait besoin à ce moment précis. Il s'élança sur l'homme avec un désir de vengeance incontrôlé. Heureusement, un autre joueur particulièrement costaud le poussa au sol avant que Stanley ait pu rejoindre sa victime. Avec l'aide des autres membres de son groupe, Stanley fut placé dans une voiturette et quitta rapidement les lieux.

J'ai appris plus tard que Stanley, après avoir retrouvé son calme, avait frappé un coup magnifique. Il avait réussi à sortir des feuilles et à placer sa balle directement sur le vert, ce qui permit à son équipe de prendre la tête du tournoi et prépara les événements qui allaient suivre.

Si son tempérament bouillant et prompt était le handicap de Stanley sur le terrain, sa susceptibilité l'était en dehors. Après une partie de golf, Stanley aimait boire avec passion. En cet après-midi et ce début de soirée au Pocatello, les passions de Stanley ne faisaient pas relâche. Le commanditaire du tournoi offrait une fête. Ce soir-là, Stanley en a été la vedette. Avec un verre de cocktail, qui ne semblait jamais se vider, Stanley racontait à tous ceux qui l'écoutaient (et même à ceux qui ne l'écoutaient plus) son exploit au 18e trou. Plus il consommait d'alcool, plus son histoire devenait incohérente. Rapidement, même la patience du meilleur auditeur atteignit sa limite et Stanley termina la soirée en se parlant à lui-même.

Il fut l'un des derniers à quitter la fête. La nuit était tombée depuis longtemps lorsqu'il réussit à se glisser derrière son volant. Heureusement pour tout le monde, Stanley habitait à proximité du terrain. Conscient malgré tout de son état, il conduisit lentement et avec prudence. En roulant vers son domicile, il repensa à son bâton toujours coincé dans l'arbre et se demanda comment faire pour le récupérer.

Telle une providence divine, il trouva dans son esprit embrouillé une réponse. Lorsque la lumière de son garage s'alluma, il vit la solution à son problème bien accrochée au mur : sa scie à chaîne. « Oui...!!! » dit-il, excité. Il descendit de son véhicule, attrapa la scie et redémarra en trombe. Il ne prêtait plus aucune attention ni à sa conduite ni à son état. La pédale au plancher, il se dirigea tout droit vers le terrain de golf. Passant à toute vitesse devant le pavillon, il fonça directement vers le 18e trou à bord de son camion. Bien stationné sur le départ du 18e trou, il grimpa sur le toit de son véhicule, démarra sa scie et se mit au travail.

Stanley n'était pas un bûcheron. Sa scie de petite dimension pouvait difficilement venir à bout de l'arbre de bonne taille. Après un travail acharné, Stanley parvint à atteindre son objectif. L'arbre se brisa en deux dans un bruit infernal.

« Oui !» s'écria Stanley, maintenant debout sur l'arbre. « Oui, Oui, Oui ! », malheureusement, il n'eut pas le temps de saisir son bâton. Des lumières de couleur, bleues, rouges et blanches, illuminèrent le terrain de golf. Il y avait des voitures de police partout.

« Hé, vous sur l'arbre, descendez. Police. »

« Vous êtes cerné ! Rendez-vous, lâchez votre arme immédiatement. » Stanley était en état de choc et ne bougeait plus.

« Police ! Lâchez votre arme immédiatement. Mettez vos mains sur la tête, tout de suite. »

Stanley fut arrêté et conduit à la prison. Les charges portées contre lui étaient sérieuses et nombreuses : destruction de biens municipaux, conduite avec facultés affaiblies, destruction de l'environnement, et même une charge pour avoir bûché sans permis. La caution fut fixée à 5000 dollars et il fut incapable de réunir les fonds avant le mardi suivant. Il passa un long week-end derrière les barreaux.

L'absence de Stanley le lendemain fit en sorte que son quatuor se transforma en trio. Sans sa présence, son équipe s'écroulait et elle finit dernière. Bien sûr, il avait laissé sa marque sur le tournoi, particulièrement sur le 18e trou.

Songeur je marchais, au 18e trou, en regardant les dommages causés par Stanley lorsqu'un reflet lumineux attira mon attention. Je m'arrêtai pour en découvrir la provenance. Lorsque je me déplaçai vers la droite, le reflet lumineux apparut de nouveau. Dans l'arbre juste à droite de celui qu'avait abattu Stanley, je vis son bâton. Exactement à l'endroit où il avait atterri la veille.

Quelques jours plus tard, Stanley subit son procès et fut reconnu coupable de toutes les charges pesant contre lui. Il dut payer de fortes amendes et exécuter des travaux communautaires. Comme vous pouvez le deviner, le juge le condamna à donner des leçons de golf à des membres de sa communauté.

Quelque temps plus tard, un employé d'une entreprise électrique remarqua le bâton dans l'arbre. Utilisant la nacelle de son entreprise, il récupéra le bâton et le remit à son fils, qui venait tout juste d'obtenir une bourse de perfectionnement en golf de l'État de l'Arizona.

Jamie E. Arjona

Ne poussez pas trop

Dans une partie de *Business Golf*, vous ne parlerez peut-être pas d'affaires avant le 4e trou, le 19e trou ou peut-être même que vous n'en parlerez pas avant plusieurs jours. La clef du succès est de savoir profiter de l'occasion lorsqu'elle se présente, mais surtout, ne pousser pas trop. Laissez votre invité faire les premiers pas. Selon le type de relations que vous entretenez, il souhaitera peut-être parler affaires dès le départ ou peut-être préférera-t-il attendre beaucoup plus tard. Peu importe, pourvu qu'il fasse les premiers pas. Dans certains cas, votre invité ou vous-même souhaiterez vous adapter au terrain avant d'aborder les sujets sérieux.

Deane Beman

Sans l'ombre d'un doute, le meilleur joueur de *Business Golf* que j'ai eu le plaisir de rencontrer fut Deane Beman. Reconnu pour son intensité au golf, il l'était davantage encore sujet au *Business Golf*. Il a conclu plus d'affaires sur des terrains de golf que quiconque. Son grand talent de communicateur fut l'une des clefs de son succès à titre de commissionnaire du PGA Tour.

Peu importe l'évolution de la partie, il ne perdait jamais de vue ses objectifs d'affaires. Il savait doser de façon judicieuse le plaisir du jeu et les discussions professionnelles. Vous aviez toujours une idée très précise de sa vision de faire des affaires par sa façon de profiter du golf. Le fait qu'il pouvait simultanément prendre plaisir au jeu et faire avancer ses affaires était l'une de ses plus grandes forces. Il était un golfeur agréable à côtoyer, mais vous saviez toujours qu'il avait quelque chose à discuter. Il parvenait à obtenir la discussion souhaitée, à défaut de quoi vous aviez droit à un match de revanche.

Pat Summerall

Les terrains de golf offrent des endroits uniques au monde pour créer des liens et bâtir des relations à long terme. Après une partie de *Business Golf,* la rencontre plus formelle ou les suivis par le téléphone ou par Internet deviennent plus faciles et plus agréables.

Sommaire de la première partie

• En croissance constante, le golf représente aujourd'hui une activité économique annuelle de plus de 15 milliards de dollars.

• La plupart des présidents d'entreprises inscrits sur la liste du *Fortune 500* affirment que le golf est leur sport favori.

• Le golf, joué dans une atmosphère détendue, permet de créer des liens et favorise le développement des occasions d'affaires.

• Les femmes représentent le segment de marché le plus en croissance dans le domaine.

• Dans le *Business Golf*, le pointage ne compte pas.

• Avec un peu de sens commun et de bonne volonté, vous pouvez trouver des façons de mettre à l'aise un joueur ayant un handicap plus élevé.

• Vous pouvez développer des relations d'affaires autant sur un terrain privé, ou un terrain public que sur un « golf resort ».

• Avant d'adhérer à un club, vérifiez la composition des membres et parlez-en avec le directeur du club.

• Afin de savoir si le club répond à vos besoins personnels et professionnels, prenez le temps de poser toutes les questions que vous jugez nécessaires.

• Développez une relation avec tous les membres du personnel.

• Oubliez vos objectifs et pensez au bien-être de vos invités.

- Ne jugez pas vos partenaires. Prenez le temps de les connaître. Vous apprécieriez sûrement que l'on fasse de même pour vous ?
- Pensez à vos invités d'abord.
- Prenez le temps de comprendre les différents types de personnalités et d'apprendre à communiquer avec eux.
- Les liens se créent lentement - ne poussez pas trop.
- Évitez les conversations et les blagues de mauvais goût.
- Détendez-vous, jouez avec humilité et ne soyez pas gêné de ramasser votre balle au moment opportun.
- Rappelez-vous toujours que l'objectif fondamental du *Business Golf* est de créer des liens.

PARTIE 2
Planifiez votre partie de *Business Golf*

CHAPITRE 4
Avant de quitter le bureau

La première rencontre avec Clifford Roberts

Je me souviens parfaitement de mes débuts à Augusta, de ma première rencontre avec Clifford Roberts, qui était à l'époque le gourou du Augusta National, le président du tournoi, l'autorité suprême.

Je faisais des reportages depuis suffisamment longtemps pour savoir que j'avais envie d'exercer mon métier dans le domaine du golf. À ce moment-là, la direction de CBS ne souhaitait pas embaucher un commentateur qui ne fût pas un golfeur reconnu. Finalement, ils ont accepté de retenir mes services à titre de commentateur au 18e trou. Toutefois, je devais d'abord rencontrer Clifford Roberts.

La haute direction était effrayée, et l'est toujours, à l'idée de perdre la diffusion du contrat d'Augusta. Ils ont pris les arrangements nécessaires et j'ai rencontré M. Roberts dans son appartement construit au sein même du pavillon. Avant chacune de ses interventions, Monsieur Roberts faisait de longues pauses. Il disait quelque chose, puis le silence semblait durer une éternité.

« Fils, vous savez, la plupart des gens du grand public vous connaissent pour le football et non pour le golf.»

« Oui, j'en suis conscient », répondis-je.

Après une longue pause, il me dit : « Quel est votre handicap ? »

« Douze, environ », répondis-je.

Après une pause encore plus longue, il me dit : « Bon, vous savez que le meilleur commentateur que nous ayons eu à Augusta était Chris Schenkel et il avait un handicap de 18. Je pense que vous pourrez faire l'affaire. » Il termina ainsi notre entretien.

Déterminez les objectifs de votre partie de *Business Golf*

(Premier commandement du *Business Golf*)

Pour réussir une vente ou pour diriger efficacement une réunion, vous devez commencer par établir vos objectifs, ce que vous souhaitez accomplir. Planifier une partie de *Business Golf* impose les mêmes exigences.

Dans quel but avez-vous organisé cette partie de golf avec un partenaire d'affaires, un client actuel ou potentiel, ou toute autre relation d'affaires ? Pour le plaisir simplement ? Vous avez de la chance si, l'un et l'autre, vous pouvez disposer d'un après-midi de congé uniquement pour le plaisir. Howard Armfield, président de AH&T, ne portait jamais de montre lorsqu'il jouait au golf. « L'heure n'a aucune importance », disait-il. « Ce qui compte vraiment, c'est votre compagnie et le plaisir de jouer. »

Un autre objectif que votre invité et vous pourriez avoir, si vous avez le même handicap, serait de jouer pour le simple plaisir à la recommandation de votre médecin !

Vous pourriez avoir un objectif plus général, soit simplement apprendre à vous connaître dans le but d'une relation d'affaires à long terme.

La planification demande plus de temps que la partie elle-même

Trop souvent, nous tenons pour acquis que la personne que nous invitons est la bonne. À la fin de la partie, nous prenons conscience que nous avons commis une erreur. La planification exigera probablement plus de temps que la partie elle-même. Vous devriez obtenir le plus de renseignements possible au sujet de votre invité et déterminer pourquoi une partie de *Business Golf* serait favorable à vos affaires. Quel est votre objectif? Y en a-t-il un seul ? Êtes-vous préparé ? De quelle façon cette partie de golf peut-elle devenir un événement mémorable pour votre invité, favoriser ainsi vos relations à long terme et les décisions que celui-ci pourrait prendre en fonction de vos relations d'affaires ?

Si vous avez la certitude que votre invité est la bonne personne pour vous aider à atteindre votre but ultime, vous devez ensuite déterminer sur quel parcours aura lieu cette rencontre. Si vous êtes membre d'un club privé, vous avez déjà votre réponse. Mais, comme je l'ai mentionné plus tôt, en cas de tournoi ou d'activité d'entretien majeur du terrain, vous devez avoir des solutions de rechange tel qu'un club public ou un « golf resort ».

En supposant que votre offre d'une partie de golf ait été acceptée par votre client et que les arrangements aient été confirmés, vous devez maintenant vous concentrer sur votre objectif. Celui-ci est sans aucun doute de vendre une idée, un produit ou un service. Prenez le temps de préparer votre entretien. Obtenez le plus d'informations possible, tant sur l'objet de votre rencontre que sur les attentes de votre client. Déterminez clairement la position que vous souhaitez prendre.

Vous passerez quatre ou cinq heures en compagnie de votre invité; malgré tout, assurez-vous de faire le meilleur usage de chaque minute. Maintenant, posez-vous la question suivante : « De quelle façon devrais-je approcher cette personne afin qu'elle souhaite devenir mon partenaire d'affaires ? »

Pensez à une fête. Si vous aviez l'opportunité d'organiser une fête pour cette personne, quelle serait la chose plus extraordinaire qui pourrait arriver à la fin de cette soirée ? La signature d'un gros contrat. Est-ce réaliste ? Probablement pas. Mais que cette personne ait apprécié votre effort, passé un bon moment en votre compagnie, se soit amusée et, plus important encore, qu'elle ait laissé une porte grande ouverte pour des discussions futures. Alors, comment fait-on pour que cela se produise ? Comment avez-vous organisé votre fête pour que l'ambiance soit aussi détendue ?

La même façon de faire fonctionne dans le cadre d'une partie de *Business Golf*. Voilà pourquoi notre premier commandement a tellement d'importance. Que devriez-vous savoir à propos de votre invité ? Une fois que vous aurez trouvé les réponses au sujet de votre invité, vous serez en mesure de planifier votre journée. Ainsi, lorsque la partie débutera, vous serez détendu et vous pourrez vous concentrer sur le bien-être de votre invité.

Le bien-être de l'invité

Le golf peut être gênant, particulièrement si vous ne connaissez pas le parcours. À votre club, vous connaissez les règles, vous connaissez le code vestimentaire, vous savez comment agir, vous savez si le personnel s'assure que les joueurs maintiennent un bon rythme de jeu, vous connaissez les membres du personnel. Bien sûr, vous connaissez aussi le pro. La partie ne se joue pas à froid, si l'on peut dire. Si j'invitais une personne, je m'assurerais que tout fonctionne comme sur des roulettes. Je m'organiserais pour que, avant de frapper la première balle, mon invité soit au courant du code vestimentaire, ainsi que de tous les autres éléments qui pourraient favoriser son confort. Vous devez agir de façon à ce que votre invité ne soit jamais dans une situation inconfortable ou désagréable. Je prendrais le temps de savoir qui sont ceux qui jouent devant et derrière nous. Si mon invité joue un peu trop lentement, je le lui mentionnerais avec délicatesse. Je m'assurerais que le professionnel est disponible et prendrais le temps de lui présenter mon invité. Essayez de faire en sorte que votre invité soit totalement à l'aise. Vous ne voudriez surtout pas qu'il soit importuné sur le parcours.

Un ami de La Nouvelle-Orléans nous raconta un jour l'histoire de deux associés d'un bureau de comptables qui venaient récemment d'adhérer à son club. Ils étaient devenus membre du club pour des raisons, en apparence, d'affaires. Toutefois, ils jouaient uniquement ensemble ou avec des membres de leur propre bureau. Notre ami était étonné de voir qu'aucun client actuel ou potentiel ne se joignait jamais à eux, une pratique d'affaires inhabituelle et étonnante.

Curieusement, la firme avait réglé tous leurs frais sans poser de questions, bien que ceux-ci ne fussent pas déductibles des impôts. Les deux associés possédaient leur propre bureau, alors qui contesterait ce type de dépense ? Ils semblaient adorer le club, mais ne l'utilisaient jamais à des fins d'affaires. Ils semblaient s'amuser, voilà tout. D'une certaine façon, le golf pour eux représentait une activité strictement personnelle.

Un jour, nous avons recommandé à notre ami de satisfaire sa curiosité et de demander, au moment approprié, de se joindre à leur groupe. Quelques semaines plus tard, nous avons appris qu'ils étaient devenus de bons amis et même qu'un changement de firme était en discussion. À plus d'une occasion, ils ont participé ensemble à des activités sociales. Parfois, il convient d'accepter un nouveau membre dans son groupe pour créer de nouvelles opportunités, qui sont difficilement prévisibles ou mesurables.

Bien sûr, lorsque le contexte s'y prête, vous pouvez inviter un ou deux amis pour compléter votre quatuor de *Business Golf*. D'une certaine façon, leur présence peut se révéler utile pour briser la glace, ajouter un peu d'humour et favoriser une ambiance détendue.

CHAPITRE 5

Jouer avec le pro

Le pro du Dubsdread en Floride

Je garde un excellent souvenir du professionnel du Dubsdread d'Orlando en Floride, Pat Neal, connu aussi sous le surnom de Bogey Pro. Pat était toujours disponible pour jouer avec les membres de son club. Comme formateur, il excellait autant auprès des adultes qu'avec les jeunes. Pour lui, obtenir un pointage de 75 ou 80 faisait partie de la routine. Toujours amical, il avait beaucoup de classe et il était toujours accommandant pour les membres. Pendant ses journées de congé, les lundi et mardi, on le voyait souvent accompagner sur le parcours des membres de son propre club. Avez-vous déjà vu une telle attitude au football ou au baseball ? Pat était un véritable modèle pour tous les membres du club, spécialement pour les jeunes qui rêvaient de faire carrière dans ce domaine.

Jim McNulty

Vous pouvez compter sur votre pro

La plupart des joueurs ne savent pas que le professionnel ou son assistant sont disponibles pour les accompagner. Le professionnel peut être d'une grande complicité pour rendre votre journée de golf inoubliable. Si vous n'avez qu'un ou deux invités, n'hésitez pas à demander au pro de vous accompagner. Bien sûr, vous devrez prendre vos dispositions à l'avance et, selon les politiques en vigueur dans votre club, offrir un pourboire au pro. Si vous êtes membre d'un club, demandez au directeur ou à l'un des membres des conseils sur la façon de faire en pareil cas. Dans un club public, le directeur général sera toujours heureux de vous guider. Du point de vue du pro, les rencontres avec les membres et leurs invités sont habituellement bien considérés; car elles représentent souvent une bonne occasion de susciter quelques ventes à la boutique du pro ou quelques demandes pour des leçons de golf.

Généralement, les pros acceptent avec plaisir d'accompagner les membres pour une partie de golf. Pour une raison ou pour une autre, s'ils ne sont pas disposés à le faire, ils vous le diront : « Désolé, je ne suis pas libre aujourd'hui. » Dans ce cas, l'assistant sera peut-être disponible. Regardons la situation en face : les services du pro sont une forme de commerce. Votre demande sera perçue comme une occasion pour favoriser ses affaires. Bien sûr, il ne faut pas croire que le pro est totalement à votre disposition. Il peut vous être d'une grande assistance, mais ayez la délicatesse de le demander à l'avance et de ne pas abuser de son temps. En établissant de bonnes relations avec le personnel, vous profiterez, vos invités et vous, d'un accueil exceptionnel.

Certaines entreprises utilisent le golf comme test de sélection pour le recrutement de personnel. Ces employeurs invitent leurs employés potentiels à une partie de golf afin d'évaluer leurs réactions aux stress et leur attitude en général. Ce contexte détendu permet aussi à l'employeur d'en apprendre davantage sur la vie personnelle et familiale du candidat et sur sa personnalité. En voyant de près son comportement sur le terrain, l'employeur peut se faire une idée du caractère, de l'humour et de l'honnêteté du candidat. Plusieurs employeurs affirment en apprendre davantage sur une personne pendant une partie de golf que derrière un bureau.

Il pratique la chirurgie et non le golf

Il y a quelques années, j'ai appris une grande leçon au sujet des invitations à des tournois de golf. Je souhaitais proposer des services d'assurances à une clinique médicale j'ai donc invité l'un de ses chirurgiens au tournoi annuel de mon club de golf. Il m'a mentionné que son handicap était de 18 et qu'il n'avait pas joué depuis très longtemps. Nous avons complété notre quatuor avec deux autres joueurs que nous ne connaissions pas. Le bon docteur s'installe sur le départ et rate complètement la balle à son premier élan. Malgré sa capacité à sauver des vies, il était incapable de jouer le moindre coup acceptable. Même sur le vert, la situation était pathétique. J'étais vraiment désolé pour lui. Il essayait avec une telle détermination, mais n'obtenait aucun résultat. De plus en plus mal à l'aise, il devenait totalement frustré, humilié même. Je ne pouvais rien faire pour l'aider. Quelques jours plus tard, j'ai essayé de le contacter pour discuter de notre projet d'assurances. Il ne m'a jamais rappelé.

Mike Shea, consultant en assurances

Choisissez avec soin tous les membres de votre équipe

(Deuxième commandement du *Business Golf*)

Organisez un quatuor

Si vous choisissez d'inviter un seul partenaire d'affaires pour votre partie de *Business Golf*, vous devriez penser à compléter votre quatuor à l'aide d'autres relations ou d'amis qui pourraient vous aider à atteindre vos objectifs.

Parfois, lorsque votre partie est planifiée longtemps à l'avance, vous trouverez une connaissance qui justement s'apprête aussi à jouer avec un seul invité et qui serait heureuse de vous accompagner. Choisir avec soin tous les membres de votre quatuor est un élément fondamental pour le succès de votre journée de *Business Golf*. Par exemple, si vous êtes un conseiller en placements ou en assurances, faites des recherches sur l'historique de votre client potentiel ou de son entreprise. Si vous êtes un manufacturier, pensez à inviter d'autres fabricants de composantes utilisées par votre client. Un banquier ou même votre comptable pourrait compléter à merveille votre quatuor. Choisir avec soin les membres de votre équipe ne pourra qu'embellir votre journée de golf et favoriser l'éclosion de belles occasions d'affaires. Savoir planifier et choisir les bonnes personnes peut faire toute la différence.

Avant de demander à qui que ce soit de se joindre à votre équipe, pensez à ce que vous aimeriez savoir au sujet de cette personne :

• De quelle façon sa présence pourrait-elle favoriser l'établissement de liens avec votre invité ?

• Son type de personnalité s'intégrera-t-il bien au reste du groupe ?

• Son enthousiasme vous aidera-t-il ou prendra-t-il toute la place ?

• Cette personne respecte-t-elle les règles ?

• Boit-elle de l'alcool avec modération ?

• Son attitude et son parcours d'affaires rejoignent-ils ceux du reste du groupe ?

Rappelez-vous : votre planification a pour objectif de vous permettre de passer une période de quatre ou cinq heures agréables, voire mémorables.

Une note de confirmation

Après avoir convenu du jour et de l'heure de votre partie de golf, ajoutez une petite touche professionnelle en écrivant une note de confirmation. Étant donné que peu de gens se donnent la peine de le faire, votre délicatesse aura sans doute un impact très positif. Cette note peut être très informelle; écrite à la main, elle expliquera le trajet, précisera l'heure d'arrivée et l'heure du début de la partie et fournira une petite description des particularités du terrain et du code vestimentaire, et comprendra un petit mot amical de votre part. Rappelez-vous que vous souhaitez créer des liens favorables; votre délicatesse pourrait avoir un impact significatif sur vos affaires.

Chaque situation requiert une approche particulière. La clef du succès est simple : soyez informé et préparé. Faites des recherches sur les goûts de votre invité, son handicap et la fréquence de ses parties.

Le but ultime du *Business Golf* est de faire tout ce que vous pouvez afin que votre invité passe une journée mémorable. Vous êtes l'ambassadeur de la joute du jour. Vous êtes un golfeur mais aussi l'hôte, le cadet, le serveur et le majordome de votre invité.

CHAPITRE 6
Le coup de départ

Un consultant qui ne vit que pour le golf

Je ne vais pas au golf par affaires. Toutefois, depuis que j'ai installé une photo géante d'un parcours de golf dans mon bureau, toutes mes réunions d'affaires débutent par quelques échanges à ce sujet. Invariablement, cette discussion se termine par une partie de golf dans les jours ou les semaines suivantes. Les calendriers dans nos ordinateurs nous permettent maintenant d'inscrire nos parties de golf des semaines, voire des mois, à l'avance. Généralement, nous tenons notre rencontre suivante au pavillon du golf ou dans un restaurant à proximité du terrain de golf. Souvent, j'invite un autre membre de notre personnel à se joindre à nous et j'encourage mon invité à choisir l'un de ses employés pour compléter notre quatuor. Cela permet d'approfondir encore davantage nos liens avec nos partenaires.

Vous dites cinq heures du matin ?

Obtenir un départ tôt le matin ou pendant le week-end peut être un grand défi. De plus en plus de clubs publics disposent d'un service téléphonique automatisé pour inscrire les réservations. Dans ce cas, avoir des contacts à la boutique du pro devient inutile et ne donne aucun résultat. Votre meilleure chance d'obtenir un départ avantageux consiste à être le premier à appeler. Cela implique parfois de se lever à cinq heures du matin ! Cette situation n'existe pas en Floride, mais elle est fréquente dans les endroits où le golf est un sport saisonnier. Les parcours sont bondés tous les jours où il ne neige pas ! Selon la météo, particulièrement en été, vous souhaiterez peut-être jouer votre partie de golf vers quatorze heures lorsque l'achalandage du terrain devient moins intense. Dans ce type de situation particulière ou dans toute situation hors du commun, demandez conseil au pro ou à la personne responsable des départs, expliquez vos préoccupations et tenez compte de leurs recommandations. Avoir de la considération pour les autres, même ceux qui n'appartiennent pas à votre groupe, fait partie du jeu et démontre votre classe. Planifier peut faire toute la différence entre l'éclosion d'une relation d'affaires à long terme et la perte d'une opportunité d'affaires.

Voici quelques exemples de situations particulières qui, lorsqu'elles sont gérées adéquatement, démontrent votre considération pour les autres sur le terrain.

Scénario 1

Vous savez que la partie sera longue car :

Vos invités et vous êtes des golfeurs débutants.

L'ensemble des membres de votre quatuor est inexpérimenté.

Solution 1

Commencez votre partie plus tard dans la journée et prenez soin d'aviser le responsable des départs de votre situation afin de ne pas retarder inutilement les autres joueurs. Cette simple courtoisie sera appréciée autant par les membres de votre équipe que par les autres quatuors. Dans la situation inverse, si votre quatuor se compose de joueurs expérimentés, le responsable des départs vous placera peut-être devant le groupe qui aurait dû vous précéder. Dans ce cas, avisez avec délicatesse l'autre quatuor que vous êtes maintenant devant eux, offrez quelques mots d'encouragement et, surtout, prenez le temps de remercier le responsable des départs. Votre délicatesse permettra à chacun de s'ajuster avec plaisir.

Scénario 2

Vous savez que votre partie sera courte parce que :

1. Un membre de votre groupe doit se rendre à un rendez-vous à une heure précise. Afin de respecter sa disponibilité, vous avez accepté de vous limiter à un neuf trous.

2. Votre groupe se compose uniquement de deux ou trois joueurs.

3. Malgré vos agendas chargés, vous aviez besoin de voir votre invité pendant une courte période, une heure ou deux au maximum.

Solution 2

Vous devriez partir en fin de journée afin de ne pas importuner les autres joueurs. En pensant à ces derniers, vous aurez l'esprit tranquille et votre partie en sera que plus agréable. En agissant ainsi, vous évitez aussi de priver un autre quatuor de départ. Si votre groupe se compose de moins de quatre joueurs, vous jouerez plus rapidement, malheureusement, vous talonnerez le groupe devant vous. Rappelez-vous que les quatuors ont priorité sur les trios, que les trios ont priorité sur le duo et que le joueur seul devrait essayer de se joindre à un groupe.

Si l'un des joueurs inscrits dans votre quatuor ne peut se présenter ou se présente en retard, vous vous retrouvez dans une situation problématique. Vous serez forcé de vous rendre sur le terrain à l'heure convenue et serez à la merci du responsable des départs. Bien sûr, cette situation n'est pas recommandée et n'est pas un exemple de bonne planification. Malheureusement, cela se produit malgré tout. Les golfeurs planifient généralement toute une journée sur le terrain et aux environs. Ceux qui se présentent sans planification ne profiteront pas des mêmes privilèges que ceux qui respectent leurs engagements. Il y aura toujours des situations exceptionnelles, mais, d'une façon générale, nous vous recommandons de planifier votre journée, de vous organiser afin d'avoir un groupe de quatre personnes et de réserver votre départ. Ainsi, vous profiterez au maximum de chaque minute de votre journée. Il n'est pas rare de voir des « resorts golf » ou des clubs de golf publics n'accepter que des quatuors sur le terrain. Cela ne veut pas dire que, sans planification, vous ne pourrez pas jouer au golf; cela signifie simplement que si vous réussissez à obtenir un départ, vous êtes très chanceux.

En supposant que vous jouez en duo, en fonction de votre heure d'arrivée, le responsable de départs réussira peut-être à vous trouver un départ rapidement. En appelant à l'avance, vous aurez une idée du temps d'attente. Lorsque vous devez subir une attente prolongée, profitez-en pour mieux connaître votre invité. Bien sûr, nous vous recommandons de ne pas introduire immédiatement dans la conversation vos préoccupations d'affaires, à moins que votre invité ne fasse un pas dans cette direction. Gardez à l'esprit que, malgré le fait que vous soyez l'organisateur de la journée, la discussion doit avoir lieu dans le respect et le rythme de chacun. Votre invité observera votre façon d'agir, tout comme vous le ferez vous-même. Le golf est un sport amusant. Il transcende l'âge, la personnalité ou l'étiquette. D'une façon générale, au golf, ce que vous voyez est fidèle à ce que les gens sont au fond d'eux-mêmes, autant sur le terrain que dans une salle de conseil d'administration.

Vous êtes seul ?

Si vous vous présentez seul, sans partenaire de jeu, les chances sont excellentes pour que vous obteniez un départ rapidement. Le responsable des départs vous inclura dans un autre groupe incomplet. Ce qui nous amène à parler d'une autre façon de nouer de nouvelles relations d'affaires. Dans cette situation, vous n'avez ni réservation ni partenaire. D'une certaine manière, vous tentez votre chance pour le plaisir du jeu. Parfois, vous tomberez par hasard sur une personne connue, tant mieux. En jouant au golf, vous acceptez de vivre toutes sortes de situations. Parce que vous avez décidé de jouer cette journée-là, laissez-vous porter par le hasard et profitez au maximum des plaisirs du golf et des rencontres. Peu importe le contexte, les suggestions faites dans ce livre fonctionneront, et ce, même avec un groupe d'étrangers.

Les « resort golf »

Dans les resorts golf, vous rencontrerez des gens d'affaires provenant de l'extérieur de la région et parfois des couples qui profitent d'un moment libre dans un voyage d'affaires pour se voir. Les clubs privés offrent davantage d'occasions d'établir des relations d'affaires, mais ce n'est pas une raison suffisante pour que vous vous joigniez à l'un en particulier. Choisissez d'adhérer à un club pour le plaisir de jouer et de vous divertir. Jouez en respectant l'étiquette et, inévitablement, de nouvelles relations d'affaires vont se développer, parfois au moment où vous vous y attendez le moins.

Retournons à la situation où un joueur est prêt à jouer et se retrouve avec un étranger. Au départ, vous ne savez pas si cette personne peut devenir ou non une relation d'affaires et, de toute façon, la partie n'est pas prévue en ce sens. Pourquoi ne pas en profiter pour mettre à l'épreuve vos connaissances en matière de *Business Golf* ? Votre partenaire est peut-être dans le même état d'esprit que vous. Ne croyez surtout pas qu'il est inapproprié de discuter ouvertement du type d'affaires que chacun de vous traite.

Dans ce contexte, les règles de bienséance et d'étiquette doivent être respectées de la même façon que si vous vous retrouviez dans un avion, un métro ou une cafétéria. N'hésitez pas : entamez la conversation. Si vous sentez que le climat est peu propice, laissez tomber les questions d'affaires et jouez votre partie. Bien sûr, votre objectif ne doit pas être d'échanger dans les minutes suivantes vos cartes professionnelles et de conclure un contrat la semaine d'après. Agir et penser ainsi ne démontre pas un grand sens des affaires.

D'un autre côté, si vous sentez que quelque chose pourrait se produire, que vos affaires sont complémentaires, n'hésitez pas à poursuivre la conversation dans ce sens.

À la suite de cette rencontre, une règle de l'étiquette téléphonique doit s'appliquer dans pareil cas. Lorsque l'appelant rejoint finalement son interlocuteur, la politesse minimale exige que celui-ci s'assure que le moment n'est pas importun pour discuter et que la personne est disposée à le faire. Si le moment est inopportun, demandez : « Est-il possible de vous rappeler à un moment plus favorable? » La plupart des gens d'affaires apprécient ce genre de délicatesse. Si la personne a un « moi » démesuré, vous le saurez assez rapidement. Au golf, anticipez vos coups tout comme en affaires. Si votre instinct vous dit que le moment est mal choisi, les chances sont grandes pour que votre instinct voie juste.

Mais l'inverse fonctionne aussi. Souvent, une phrase du type « Accepteriez-vous de me parler davantage de votre projet d'entrepôt ? » relancera la conversation et entraînera une discussion à laquelle chacun d'entre vous acceptera de donner une suite.

CHAPITRE 7

Les leçons, l'équipement et la tenue vestimentaire

Ce que je vois malheureusement trop souvent, ce sont des membres qui viennent me rencontrer pour me dire : « Peu importe à quel point je m'entraîne, je ne parviens pas à réduire ma moyenne. » Beaucoup de golfeurs sont des autodidactes et commettent des erreurs de base dans leurs élans. Après avoir discuté avec le joueur, je l'informe que je serais heureux de lui enseigner la bonne technique. Toutefois, il devra accepter le fait que le changement de technique demande une période d'adaptation et que sa moyenne risque d'en souffrir à court terme. Généralement, le membre accepte de prendre une leçon, frappe d'une façon désastreuse et renonce. Un nombre étonnant d'individus refusent de faire deux pas en arrière pour ensuite mieux faire trois bonds en avant. Afin d'apprendre correctement les bases, vous devez absolument suivre des cours de golf. Réapprendre quelque chose est toujours beaucoup plus difficile.

Johnnie Jones, PGA

Les leçons

Si vous avez des habiletés naturelles, le golf peut être un sport merveilleux. Jim faisait partie de ces gens qui, dès les premières tentatives, peuvent frapper la balle à une distance moyenne de 280 à 300 verges. Habile, il excellait naturellement dans tous les sports. Malheureusement, nous n'avons pas tous cette chance. Sans s'imposer aucune forme d'entraînement, Jim pouvait obtenir un pointage de 73 les yeux fermés !

Si vous n'êtes pas un athlète naturel, mais que vous avez eu la chance de commencer jeune à jouer au golf, votre élan, votre pointage, vos connaissances en cette matière et le développement d'une bonne attitude sur le parcours s'acquerront plus facilement que si vous commencez à jouer à un âge plus avancé. Voilà pourquoi il est essentiel de prendre des leçons données par un formateur reconnu par la PGA. Ne choisissez pas le premier venu. Magasinez. Observez d'autres personnes qui suivent des cours et voyez les méthodes d'enseignement proposées par le pro. Regardez différents professionnels à l'émission *Academy Live* au Golf Channel. Même si l'idée est formidable, vous ne pourrez pas débuter en retenant les services de David Leadbetter, Butch Harmon ou Jim McLean. À un tarif horaire moyen de 50$, prenez le temps de magasiner, car vous apprendrez rapidement que les méthodes sont parfois fort différentes d'un pro à l'autre. Chacun a son approche personnelle du sport. Certains auteurs affirment qu'il faut 21 jours pour changer une habitude. Dans ce contexte, vous souhaitez que votre formateur vous aide à faire la transition et non qu'il vous l'impose sans ménagement.

Certaines personnes abordent les affaires et la vie sans détour, en allant droit au but. Il y a des formateurs qui font exactement de même. Ils vous disent les choses telles qu'elles sont, d'une manière parfois assez directive. Ils parlent peu, avec un débit rapide, et vont droit au but.

D'autres préfèrent enseigner selon une approche plus humaine et plus sociable, sans prêter attention au passage du temps. Ils prendront plaisir à discuter longuement de votre élan, du leur et de celui d'autres golfeurs. La qualité de communication avec les membres est leur principale préoccupation.

Les méthodiques approchent le golf un peu comme un cours de physique. Ils vous présenteront les techniques en détail, étape par étape.

Prenez le temps de choisir votre formateur, assurez-vous que sa personnalité est compatible avec la vôtre et que ses méthodes d'enseignement correspondent à la façon dont vous avez envie d'apprendre.

Lors de notre dernier colloque annuel, nous avons eu la chance d'être reçus dans un « golf resort ». Je venais de terminer ma présentation et je disposais de quelques heures libres avant le départ de ma partie de golf. Après un bon repas, j'ai décidé de me rendre frapper quelques balles sur le terrain d'exercice. Tout en frappant mes balles, j'ai remarqué, à une trentaine de mètres environ, un pro et son élève. Ils ont attiré mon attention parce que le professeur expliquait longuement son point de vue sur l'élan sans pour autant permettre à l'élève de s'exercer. Cette approche m'aurait rendu fou de rage, mais, à les observer, je dus reconnaître que l'étudiante semblait adorer son expérience. Comme s'ils étaient de vieux copains, ils rigolaient constamment. Il faut bien admettre que les besoins et les attentes de chacun sont différents. Cette étudiante semblait ravie de la formation reçue. Personnellement, je n'aurais pas apprécié ce type d'expérience, car cette méthode d'enseignement n'est pas conforme à ma façon d'apprendre.

John Creighton

Les équipements

En fonction de la règle 4-4 de la United States Golf Association (USGA), chaque joueur a droit à un nombre maximal de 14 bâtons pour jouer sa partie. Vous ne devez pas dépenser une fortune pour l'achat de votre équipement. Toutefois, avoir un équipement de qualité et adapté à de vos besoins démontre votre sérieux envers le golf. Avec les progrès technologiques, même les golfeurs expérimentés éprouvent de la difficulté à faire les bons choix; alors imaginez les difficultés d'un débutant. À titre d'exemple, le PGA Show présenté en janvier dans la ville d'Orlando propose divers équipements et accessoires de golf sur plus de un million deux cent milles pieds carrés.

Par conséquent, les différentes possibilités en matière d'équipements ne manquent pas. Prendre le temps de choisir un équipement approprié à votre style de jeu peut avoir un impact significatif sur votre pointage. Profitez des conseils d'un pro reconnu par la PGA. Vous les apprécierez lorsque viendra le temps d'utiliser vos nouveaux équipements. Dans le *Business Golf*, heureusement ou malheureusement, l'image et la première impression ont une grande importance. Un sac et des bâtons de qualité présenteront une image positive de vous-même. Rappelez-vous que votre invité vous observe, lui aussi. Soyez fier de votre image comme vous l'êtes au bureau. Évitez de sortir vos équipements ou vos vêtements des années 1960 ou 1970.

Assurez-vous d'avoir en main un bon outil pour réparer les marques de balle et un repère. N'hésitez pas à en conserver un autre dans votre sac au cas où votre invité en aurait besoin. Cette délicate attention sera perçue comme un geste amical, et l'objet est si peu coûteux. Plusieurs clubs offrent ce type d'équipements à très bas prix; profitez-en et montrez fièrement le respect que vous accordez au terrain. N'oubliez pas qu'un golfeur courtois marque au besoin sa balle, passe le râteau dans la trappe de sable après son passage et remplit les trous qu'il a creusés même s'il joue seul. Cela fait partie des traditions et démontre votre respect d'installations qui profitent à tous.

Pourquoi pas un fax sur le vert ?

Les téléphones cellulaires et les téléavertisseurs sont devenus des objets largement utilisés par les gens d'affaires. Toutefois, rien n'est plus agaçant que d'entendre sonner un téléphone cellulaire sur le parcours. S'il faut absolument qu'on vous joigne, mettez votre appareil en mode vibratoire. Vérifiez-le régulièrement, mais laissez-le dans la voiturette. Faites votre appel en cas d'urgence uniquement. Soyez sûr que vos partenaires ne seront pas impressionnés par votre cellulaire; au mieux, ils seront agacés. Certains adorent jouer au golf, parce qu'ils ont l'impression d'être éloignés de la civilisation, alors imaginez l'impact négatif de votre téléphone cellulaire. Rappelez-vous : plusieurs clubs interdisent l'usage de ce type d'appareils sur le parcours, tout comme le font certains clubs privés dans leur pavillon.

En cas d'urgence, avisez votre groupe, avant de commencer la partie, que vous devrez peut-être recevoir ou effectuer un appel. Faites-le uniquement si vous ne pouvez pas faire cet appel à un autre moment. Bien sûr, ayez la délicatesse d'effectuer cet appel entre deux trous. Si vous êtes encore coincé au téléphone au moment où vos partenaires sont prêts à frapper leurs balles, mettez-vous à l'écart afin de ne pas les distraire. Faites en sorte qu'à aucun moment des affaires non essentielles ne ralentissent le jeu ou n'irritent vos partenaires. Expliquez le caractère urgent de votre situation afin de ne pas vous mettre à dos vos partenaires de golf.

Nous connaissons tous des gens d'affaires qui tiennent à être joints en tout temps sur leur ligne privée au bureau et qui apportent toujours leur téléphone cellulaire sur le vert. Si vous êtes de ceux-là, ayez la délicatesse, autant au bureau que sur le vert, de dire : « Je suis en réunion présentement, puis-je vous rappeler plus tard ? » Pourquoi ne pas fermer ce téléphone et ne pas profiter de l'assistance de votre personnel ? Vous savez, agir autrement peut susciter de l'inconfort chez vos invités et montrer de vous un côté égoïste.

La tenue vestimentaire

Rien n'est plus embarrassant que de rejoindre un invité et de constater que ses vêtements ne sont pas conformes aux règles du club. Le code vestimentaire est important parce que plusieurs clubs ont des règles spécifiques et non négociables à ce sujet. Les souliers de tennis, les chemises sans collet, les jeans, les shorts, les bas bruns accompagnés de souliers noirs ou une apparence générale peu soignée ne sont pas appropriés dans un club de golf. Dans certains clubs, vous serez très embarrassé si un membre du personnel vous oblige ou oblige l'un de vos invités à changer de tenue afin de respecter les règles. Du point de vue du personnel du club de golf aussi, avoir à exiger d'un membre ou de l'un de ses invités de changer de vêtements est une situation embarrassante. Ayez la prévoyance de vérifier les règles en matière de code vestimentaire; cela vous évitera bien des désagréments. D'une façon générale, les clubs publics sont moins formels sur les codes vestimentaires. Regardez la situation en face, vous devez choisir une tenue appropriée parce que vous essayez de bâtir de solides et sérieuses relations d'affaires. Dans le *Business Golf*, comme dans n'importe quelle autre situation d'affaires, l'apparence et la première impression sont des facteurs déterminants pour l'établissement et le développement de relations avec les autres.

Un jour, Lee m'a demandé de l'accompagner dans une partie de golf qui avait pour objet d'évaluer une personne à laquelle il songeait à offrir un poste de vice-président. Lee voulait rencontrer cette personne dans une atmosphère détendue avant de lui faire une offre finale. Nous devions commencer la partie à treize heures. À midi, trois d'entre nous étions déjà arrivés au club. Nous avons profité de ce temps d'attente pour frapper quelques balles, exercer nos roulés et passer à la boutique du pro. Quelques minutes avant le début de la partie, notre invité, Walt, fit son entrée, vêtu tel Al Czervic, le personnage interprété par Rodney Dangerfield dans le film Caddy Shack. Lee me regarda, perplexe, et dit : « Intéressant…! ». Pendant que nous jouions les premiers trous, Lee posa quelques questions ouvertes à Walt afin de connaître son opinion sur certains enjeux auxquels son entreprise faisait face. Certaines des réponses de Walt démontraient une bonne maîtrise de la situation alors que d'autres étaient accompagnées de remarques douteuses ou d'un rire exagéré. Après avoir joué, cinq ou six trous, Lee a cessé de lui poser des questions et nous nous sommes concentrés sur le jeu.

Quelques jours plus tard, j'ai eu l'occasion de revoir Lee. Bien sûr, je lui ai demandé s'il avait pris la décision d'embaucher ce jeune homme. Lee me répondit : « Au départ, j'ai eu besoin de quatre ou cinq trous avant d'arrêter de regarder ses vêtements. Ensuite, je me suis posé des questions sur la réaction de nos clients face à ce type d'apparence et de remarques. Bien vite, j'ai compris que je ne pourrais jamais l'embaucher. »

John Creighton

Les enfants aussi doivent suivre un code vestimentaire

Nous ne pouvons passer sous silence certaines observations au sujet du code vestimentaire pour les jeunes joueurs de golf. Dans la majorité des cas, les enfants ne veulent pas porter autre chose que des jeans et des t-shirts. La plupart des clubs de golf, et assurément tous les clubs de golf privés, exigent au minimum un chandail avec col et un pantalon court, se terminant environ à la hauteur des genoux.

Basées sur une question de tradition, ces exigences ont pour objectif de maintenir l'esprit et les valeurs du golf. Peu importe le développement des habiletés du golfeur, une image de classe a toujours été associée à ce sport. Bien sûr, vous n'avez pas l'obligation de revêtir des costumes traditionnels comme ceux qui sont portés sur les vieilles illustrations du St-Andrews, mais certaines tenues trop décontractées ne sont pas acceptables non plus. Prêtez attention et vous remarquerez que le personnel de votre club et celui de la boutique du pro prennent toujours en considération le code vestimentaire.

Généralement, celui-ci est simple. Les hommes doivent porter des chemises ou des chandails ayant un col et des manches. Certains clubs permettent le port des pantalons courts, vérifiez auprès de votre club afin d'éviter de mauvaises surprises. Sur le parcours, vous remarquerez que les joueurs font très attention à garder leur chandail bien glissé dans leur pantalon. En ce qui concerne les plus jeunes, prenez le temps de discuter avec eux des plaisirs du jeu et des avantages du code vestimentaire. Les nouveaux golfeurs trouveront de bons exemples à suivre en regardant les professionnels dans les tournois diffusés à la télévision.

Nous ne pouvons certainement pas jouer comme eux, mais nous pouvons nous inspirer, entre autres, de leurs tenues vestimentaires. Bien sûr, nous n'affirmons pas que les jeans et les t-shirts sont interdits sur les parcours, mais après un certain temps, si le club n'intervient pas, vos enfants imiteront la façon des autres de jouer et de se vêtir. Lorsque des cliniques de golf sont organisées pour les jeunes, prêtez une attention particulière au code vestimentaire. Évitez à tout prix d'embarrasser vos enfants par votre méconnaissance des règles.

CHAPITRE 8

La valeur secrète du cadet

Pat Summerall, commentateur et ancien cadet

En 1945, j'étais cadet à Augusta. Nous étions toujours occupés, alors si vous étiez invité sur ce parcours, vous deviez amener le vôtre. Pendant mes études secondaires, un pharmacien, Brannon Hill, m'a invité à Augusta et m'a offert de l'accompagner. J'ai été son cadet au tarif de 50 sous par sac par parcours. Un jour, j'ai gagné un dollar pour un parcours de 36 trous. Quand j'y repense, je m'aperçois que je n'avais aucune idée, à ce moment-là, de l'importance qu'aurait cette journée dans mes souvenirs.

Pat Summerall

L'un des aspects les plus intéressants et les plus originaux du golf, c'est la façon dont chacun le perçoit. D'abord, le golf est essentiellement un sport individuel, mais il est aussi un sport d'équipe lorsque l'on tient compte de certains événements comme les tournois. Si, comme golfeur, vous n'avez jamais vécu l'expérience de faire un parcours en utilisant les services d'un cadet, inscrivez-la immédiatement sur votre liste des choses à faire.

Homer Hemingway, un excellent ami de Jim McNulty depuis plusieurs années, est l'une des rares personnes au monde qui a réussi à vivre, sa vie durant, du métier de cadet. Pendant plus de cinquante-sept ans, Homer a travaillé dans un seul club, le Palma Ceia County Club à Tampa en Floride. Loyal à sa profession, Homer illustre comme personne d'autre l'une des grandes traditions du golf. En ayant son exemple à l'esprit, examinons de quelle façon un cadet peut parfois devenir un membre à part entière du groupe.

Cadet, entraîneur et confident

En supposant que vous avez retenu les services d'un cadet expérimenté, voyons comment il pourra vous être utile pendant la partie. Les probabilités sont grandes que votre cadet ait un impact positif sur votre pointage. Peu importe votre handicap, si vous avez le privilège de savoir où sont les pièges, les lacs ou tout autre obstacle, vous gagnerez assurément quelques points. Ultimement, votre journée de golf n'en sera que plus agréable.

Dans tous les sports, les entraîneurs développent un grand sens de l'observation et une grande capacité d'analyse des forces et faiblesses de leurs joueurs. Le comportement des athlètes et l'utilisation optimale de leurs talents tracent un portrait de leur entraîneur. Les cadets possèdent ce type d'expérience. Vers le 3e ou le 4e trou, ils sauront quel bâton le golfeur devrait utiliser en fonction de l'analyse de son talent et d'une connaissance approfondie du terrain. Certains plus expérimentés, observeront les joueurs au terrain d'exercice et sauront avant même le départ à quel point leur expérience pourra faire une différence dans le déroulement de la partie.

En passant, sachez que si vous êtes dans un groupe accompagné de plusieurs cadets, ceux-ci prendront assurément des paris sur l'issue de votre partie. Un cadet qui souhaitera accompagner régulièrement un groupe en particulier se fera plus discret afin de ne pas ajouter de pression sur l'épaule de son joueur. Croyez-nous, même les cadets les plus sérieux parieront toujours, ne serait-ce qu'en eux-mêmes, sur le déroulement de votre partie.

Sur le vert, soyez certain qu'un cadet d'expérience connaît chaque parcelle du terrain. Si vous avez des doutes, demandez-lui des éclaircissements avant de faire votre roulé. Ensuite, acceptez la responsabilité pour le résultat obtenu. Le cadet ne mérite aucun blâme, car ce n'est pas lui qui frappe la balle. Blâmer le cadet ou se plaindre de sa vision du vert sera toujours mal reçu par les membres de votre groupe et par le cadet lui-même. Normalement, lorsque vous avez recours à des cadets, le jeu est plus rapide. Dans ce contexte, vous ne devriez jamais vous servir du cadet comme prétexte pour un jeu plus lent.

En supposant que vous vous déplaciez dans une voiturette, pourquoi retenir les services d'un cadet ? Il vous aidera à localiser plus rapidement votre balle, s'assurera que vos bâtons sont prêts au moment où vous en aurez besoin, raclera le sable après votre passage dans une trappe de sable, s'assurera que vos bâtons sont toujours propres, réparera les trous et les marques de balle et s'organisera pour vous apporter une boisson lorsque votre équipe passera près du pavillon. Finalement, vous pourrez toujours compter sur son assistance pour suivre votre pointage.

Homer est maître en la matière. Ses nombreuses années d'expérience lui permettent d'évaluer les distances avec une précision étonnante. De plus, il peut visualiser le roulé idéal, et ce, sans même devoir se placer derrière la balle. Doté d'une mémoire prodigieuse, il peut se remémorer, pour une partie jouée la semaine précédente, tous les coups frappés par chacun des joueurs. Homer Hemingway, à qui nous avons dédié ce livre, est un homme exceptionnel, un vrai gentleman, et nous sommes heureux de le compter parmi les membres de notre équipe de Tampa.

Qui paie le cadet ?

Au *Business Golf,* nous croyons que partager les honoraires du cadet est de mise et, si vous êtes invité, vous devriez offrir de le payer vous-même. De la même façon, lorsque vous êtes invité au restaurant, une personne paie l'addition et l'autre propose de laisser le pourboire. Bien sûr, si les frais de cadet sont inclus dans la facture de golf, la situation est plus délicate et le partage est plus difficile. Dans la plupart des clubs, la tradition veut que le cadet soit payé comptant, discrètement, vers la fin du parcours. Comme invité, soyez courtois et réglez le cadet, votre attitude sera toujours appréciée. Peu importe qui paie, soyez généreux et pensez à offrir un pourboire au cadet.

Méfiez-vous des individus qui profitent de l'expérience et des connaissances du cadet sans avoir la délicatesse d'en partager les frais. Évitez d'insulter vos partenaires en ne donnant pas votre juste part. Peu importe les circonstances, soyez toujours prêt à payer le cadet. Ne laissez jamais l'ignorance ou la mesquinerie d'un partenaire ruiner votre réputation.

Le meilleur cadet qui ait jamais vécu

Je souhaitais jouer une partie de golf avec Ronnie depuis très longtemps. Un jour, la chance m'a souri, j'étais très excité. Afin de compléter notre quatuor, il avait invité deux autres personnes. Pendant que nous étions au terrain d'exercice, Ronnie me parla de notre cadet. Celui-ci avait déjà accompagné Chi Chi Rodriguez à Augusta et connaissait le terrain mieux que personne. Mon excitation monta encore d'un cran. Avec un pareil cadet, comment pouvions-nous perdre ? La seule façon de le faire serait de jouer une partie misérable, et ce fut le cas. J'ai joué ce jour-là la pire partie de ma vie. Après le 3e trou, j'avais besoin de toutes les informations que je pouvais trouver. Où était ce fameux cadet d'Augusta ? Où était l'homme qui avait accompagné Chi Chi Rodriguez ? Où était cet expert qui connaissait le parcours mieux que quiconque ? Je le vis en bordure du terrain en train de raconter ses histoires et d'imiter les gestes de Chi Chi Rodriguez. Finalement, nous avons gagné notre partie, mais j'étais très embarrassé par la piètre qualité de mon jeu. En m'éloignant du 18e trou, je me demandais pourquoi je devrais payer cet homme. Que faire ? Je me demandais ce que je ferais si, au restaurant, un serveur m'offrait un service misérable. Est-ce que je piquerais une crise ? Non. Je laisserais un pourboire raisonnable en mettant cette triste aventure sur le compte de l'expérience. Agissez de la même façon lorsque vous jouez au Business Golf. À long terme, il y a trop à perdre. Ainsi, j'ai décidé d'agir correctement et je lui ai laissé un bon pourboire. Je devais garder à l'esprit que Gary était membre de ce club. Malgré mon jeu et mon cadet, j'avais passé du bon temps, et c'est l'impression que je voulais laisser, alors je l'ai fait.

John Creighton

Une entrevue avec Homer Hemingway

- Homer, comme cadet, quelle a été votre pire expérience?

- Honnêtement, je ne pourrais pas vous nommer une expérience vraiment négative. J'ai eu le privilège d'exercer mon métier auprès de toutes sortes de golfeurs et j'ai pro-

bablement vu tout ce que vous pouvez imaginer. Je prête une grande attention à mon travail et bien sûr parfois je souris en moi-même lorsque je vois ce que certains golfeurs peuvent faire... J'ai accompagné des enfants, qui sont devenus des parents et des grands-parents. Aujourd'hui, je connais des familles complètes.

- Qui a été le premier golfeur professionnel pour lequel vous avez été cadet ?

- Sam Snead dans les années 50 au Palma Ceia, lorsqu'il était encore au début de sa carrière. Au moment de notre rencontre, il avait déjà reçu son premier « green jacket ».

- Jouez-vous beaucoup au golf vous-même ?

- Bien sûr ! J'ai déjà eu un handicap de un ou deux, mais il y a de cela bien des années. Je joue encore une fois par semaine en moyenne.

- Comment voyez-vous l'avenir du métier de cadet ?

- Je pense que toute personne qui commence à jouer au golf durant l'enfance devrait vivre l'expérience d'être cadet. Je ne peux pas compter toutes les belles opportunités que les différents golfeurs rencontrés m'ont offertes. Plusieurs de mes ex-collègues ont réussi à démarrer leurs entreprises grâce aux relations qu'ils avaient bâties sur le terrain. Malheureusement, ce service est de moins en moins offert par les clubs de golf aujourd'hui. Je pense que les clubs de golf devraient créer des programmes afin de permettre aux jeunes de vivre cette expérience pendant l'été, spécialement sur les parcours municipaux. Le First Tee Program aura un impact significatif et permettra aux jeunes de vivre une expérience dont ils se souviendront toute leur vie. Je serais heureux de voir des commanditaires s'associer à ce programme. Être cadet donne une chance unique aux jeunes de se familiariser avec le golf, de

gagner un peu d'argent et surtout d'éviter de faire des bêtises.

Les programmes pour golfeurs juniors

Les programmes pour golfeurs juniors apportent une aide précieuse aux clubs de golf. Ils leur permettent d'obtenir un personnel motivé et de bonne volonté, prêt à entretenir les terrains, à racler les trappes de sable, à aller chercher un bâton oublié sur le terrain et parfois même à s'occuper des drapeaux sur le vert. Mais le plus important n'est pas leurs tâches; le véritable avantage, pour nous, est de pouvoir les prendre sous notre aile, de leur enseigner la beauté du sport et de leur permettre de gagner un peu d'argent dans un contexte d'apprentissage. Plusieurs grands golfeurs ont amorcé leur carrière comme cadet. La présence des jeunes sur le terrain nous offre un grand nombre d'occasions de les influencer positivement. Vous ne trouverez jamais un cadet, jeune homme ou jeune femme, qui ne soit pas aimable, d'apparence soignée, en pleine forme, prêt à apprendre aussi, et bien sûr, prêt à gagner son propre argent de poche. Permettez à ces jeunes gens de se réaliser, embauchez-les, ils sont peut-être nos dirigeants de demain.

Le First Tee Program

Le First Tee Program, dont le siège social se trouve à Jacksonville, est un modèle dont les activités seront sans aucun doute reprises partout dans le monde. Nous croyons que son impact sera significatif pour les nouvelles générations de golfeurs. L'objectif du First Tee Program est de permettre la construction de terrains de golf ou de terrains d'exercices sur des lots publics abandonnés ou inutilisés en zone urbaine. Transformés en espaces verts, ces lieux permettront aux enfants du voisinage de découvrir les plaisirs du golf et de profiter d'un peu d'air frais. Au moment où nous rédigions cet ouvrage, le programme était encore relativement récent. Toutefois, il attirait déjà l'attention des grandes corporations.

Les grandes entreprises supportent plus que jamais ce genre d'initiative, car elles reconnaissent la valeur d'une plus grande implication sociale. Compte tenu des valeurs associées à ce sport, telle que l'honnêteté, l'intégrité et la discipline, un plus grand accès au golf aura des effets positifs sur la société.

Des anecdotes savoureuses de cadet

Les cadets sont différents les uns des autres. Certains parlent constamment et d'autres ouvrent à peine la bouche. L'un des cadets du Pinehurst en Caroline du Nord est un homme de famille. Pendant que nous marchions vers le 1er trou, cet homme nous parla de son grand amour pour ses 13 filles. Pour lui, cette situation n'était pas exceptionnelle puisque son père en avait eu 26. Essayez ensuite de vous concentrer. Impossible avant d'atteindre au minimum le 3e trou. Imaginez : 26 filles !

À St. Andrew, en Écosse, il y avait un cadet dont les marmonnements étaient impossibles à comprendre. Au moment voulu, il vous présentait toujours le bon bâton et pointait le doigt vers l'endroit où vous deviez frapper en disant « Par là... » Ses conseils étaient toujours justes. Il gagnait de bons pourboires.

Le cadet du Gleneagles en Écosse avait quatre enfants et avait été mis à pied d'une usine d'automobiles à proximité. Possédant un diplôme collégial et sans travail depuis des mois, il devint cadet. Rapidement, il découvrit qu'il gagnait mieux sa vie comme cadet qu'à l'usine. Nous eûmes de longues discussions au sujet des syndicats, des déficits commerciaux et de la monarchie britannique. Malheureusement, je ne peux me rappeler son nom, mais je n'oublierai jamais notre rencontre.

Sommaire de la deuxième partie

•Planifiez votre journée de golf. Déterminez avec qui, comment, quand, où et pourquoi vous allez jouer.

•Avant votre rencontre, obtenez le handicap de votre invité.

•Sélectionnez avec soin tous les membres de votre quatuor.

•Déterminez formellement vos objectifs en matière de *Business Golf.*

•Prenez le temps de rencontrer votre pro et de discuter avec lui afin de rendre votre expérience de golf inoubliable pour votre invité.

•Confirmez par écrit vos rendez-vous de *Business Golf.*

•Dans la mesure du possible, offrez un choix d'heures de départ dans vos invitations.

•Ayez le bon équipement. Cela vous aidera à bien jouer et projettera une meilleure image de vous.

•Fermez votre téléphone cellulaire ou votre téléavertisseurs. En cas d'urgence, utilisez le mode vibratoire.

•La première impression étant déterminante, choisissez des vêtements appropriés.

•Pensez à embaucher un cadet, cela rendra votre partie de golf encore plus mémorable.

PARTIE 3
L'arrivée

CHAPITRE 9
Soyez préparé

Arrivez toujours tôt et soyez préparé

(Troisième commandement du *Business Golf*)

La première fois que j'ai lu au sujet de Jim McNulty et de son concept de Business Golf, je l'ai appelé immédiatement. Je réfléchissais depuis longtemps sur ce sujet, mais Jim, lui avait réussi à construire quelque chose. Après cinq minutes de conversation téléphonique, nous étions de toute évidence sur la même longueur d'onde. Lors de notre seconde conversation téléphonique, Jim me proposa une rencontre sur son terrain de golf à Tampa, en Floride.

À cette époque, je vivais en Virginie. Après un rapide vol en avion, j'arrivais une heure avant notre rencontre. Comme l'endroit m'était peu familier, je ne voulais pas être en retard. Lorsque je me présentai à la boutique du pro, je mentionnai que je venais rencontrer Jim McNulty. Ce que je ne savais pas, c'est que Jim avait eu la délicatesse d'informer le personnel, et tous étaient au courant de mon arrivée. Immédiatement, ils ont déposé mon sac dans la voiturette, où se trouvait déjà celui de Jim. Gentiment, ils m'ont indiqué où se trouvait le terrain d'exercice et ils m'ont prêté tout le matériel nécessaire. Après avoir frappé quelques balles et pratiqué mes roulés, je rejoignis Jim au grill où nous avions convenu de nous retrouver. Encore une fois, tout le personnel m'attendait et ils furent aimables. Jim avait laissé à mon attention un message mentionnant qu'il serait quelques minutes en retard. Dans un pareil contexte d'accueil, son retard ne me froissa pas le moins du monde. Tout de suite, j'ai compris la force du Business Golf.

John Creighton

Planifier votre journée de golf est d'une grande importance. Arrivez avant l'heure convenue pour votre rencontre et informez le personnel du nom et de l'heure d'arrivée prévue de votre invité. À l'avance, payez toutes les dépenses auxquelles il pourrait devoir faire face. Assurez-vous de proposer une heure de rendez-vous qui donnera le temps nécessaire à votre invité de s'installer, de frapper quelques balles et de pratiquer ses roulés.

Faites en sorte que votre invité se sente le bienvenu. Au départ, cela créera une atmosphère favorable. Il saura immédiatement qu'il est un invité important pour vous. Prenez les arrangements nécessaires afin d'obtenir une voiturette avant l'arrivée de votre invité. Si vous ne pouvez l'accueillir au stationnement, organisez-vous pour qu'un membre du personnel le fasse. Réservez un casier et informez le préposé de l'arrivée d'un nouveau visage que vous souhaitez présenter aux membres du personnel. Toute votre attention doit être dirigée vers votre invité. Lorsqu'il arrive, amenez-le à la boutique du pro et présentez-le au personnel. Assurez-vous d'avoir commandé, ou d'avoir en main, tout le matériel requis (balles, gants, tees, boissons et cigares). Une serviette accrochée à la voiturette est également une bonne idée. Ensuite, passez quelques minutes sur le terrain d'exercice. Présumez que votre invité visite ce terrain pour la première fois et qu'il n`y connaît personne.

Prenez le temps de discuter avec le responsable des départs au sujet du déroulement général de la partie, des règles en vigueur et de l'emplacement des drapeaux.

Cette information ne vous sera pas utile uniquement à vous, elle vous permettra d'être un meilleur cadet pour votre invité. Profitez de votre rencontre avec le responsable des départs pour vous informer de toutes les questions relatives au parcours et à sa condition. Le responsable connaît généralement bien l'historique du terrain, profitez de ce type d'informations pour briser la glace au besoin.

Votre heure de départ ne doit pas correspondre à votre heure d'arrivée

Un dernier commentaire au sujet du terrain de pratique. Essayez d'arriver avant votre heure de départ au premier trou afin d'avoir le temps de vous rendre au terrain d'exercice. Certains fanatiques frapperont jusqu'à une trentaine de balles ou plus avant d'entamer leur partie. Certains préfèrent aller directement sur le départ et, par bonheur ou par chance, leur première balle tombera au beau milieu du parcours. Toutefois, si vous recevez un invité, prenez le temps de passer au terrain d'exercice. En ayant pris soin de vous informer du temps dont dispose votre invité, vous pourrez, d'une façon détendue, passer un moment au terrain d'exercice, respecter votre heure de départ et conclure votre journée par un repas ou une pause rafraîchissante au pavillon. Planifiez votre journée comme vous le feriez pour une réunion. Imaginez votre déception si votre invité devait partir immédiatement après la partie. Connaître les disponibilités de votre invité favorisera votre planification, le succès de votre journée et une atmosphère détendue.

Accordez toute votre attention à votre invité et non à votre pointage

(Quatrième commandement du *Business Golf*)

L'atmosphère au terrain d'exercice est très informelle, ce qui vous donne l'occasion d'ouvrir la discussion sur plusieurs sujets. Mesurez les réactions de votre invité aux sujets abordés. Si la situation s'y prête, vous pouvez proposer un pari sur l'issue de la partie. Si vous faites partie d'un groupe plus important, le terrain d'exercice est un bon endroit pour déterminer la composition des équipes et éviter ainsi de retarder le départ. Si vous êtes à la recherche d'une façon de briser la glace, voici quelques suggestions :

Échangez sur les équipements. Depuis quand avez-vous cet équipement ou comment vos équipements vous permettent-ils de performer ? Pour quel bâton avez-vous un attachement particulier et pourquoi?

Échangez sur les différents terrains que vous avez fréquentés. Lequel est votre favori et pourquoi ?

Échangez sur les différents tournois diffusés récemment à la télévision. Avez-vous vu ce tournoi ? Et ce magnifique roulé ?

Habituellement, ce type de questions permet d'amorcer la discussion et d'autres sujets de conversation viendront naturellement.

Le réchauffement

Parfois, pendant le réchauffement ou au terrain d'exercice, vous découvrirez rapidement le type de personnalité de votre invité. Vous prendrez connaissance de son degré d'habileté et de la sorte d'équipement qu'il utilise. Souvent, vous verrez accrochés à son sac des objets identifiant les clubs de golf qu'il fréquente ou qu'il a fréquentés. Vous verrez sûrement un logo de club que vous connaissez ou dont vous avez déjà entendu parler. Utilisez ce genre d'informations pour lancer ou relancer la conversation. « Vous avez fréquenté le Lone Lake Golf Club, vous avez aimé ? » Si vous remarquez que les bâtons sont rangés et protégés parfaitement, vous avez peut-être affaire à un perfectionniste. En passant, des protège-bâtons sur vos fers ou vos bois protégeront peut-être vos bâtons, mais donneront une curieuse image de vous et ralentiront inutilement le jeu.

D'un autre côté, si vous remarquez une grande variété de bâtons de différents types ou marques, vous avez peut-être affaire à un golfeur de grande expérience. En choisissant diverses combinaisons de bâtons, il accorde sans doute une importance plus grande à leur efficacité qu'à leur image d'ensemble. Peut-être est-il aussi une personne colérique, qui lance ses bâtons, et que le sac sous vos yeux correspond à plusieurs ensembles qu'il a dû regrouper afin d'avoir un sac complet. Ne soyez pas surpris, ce genre d'individu existe vraiment. Ce que vous voyez sur le terrain d'exercice vous donnera une bonne idée de la personnalité de votre invité.

Si vous avez eu du succès dans tout ce dont nous avons discuté jusqu'à maintenant, il est temps de passer au prochain commandement.

Laissez votre orgueil dans votre sac

(Cinquième commandement du *Business Golf*)

CHAPITRE 10

Duo, trio, quatuor et quintette

Au *Business Golf,* votre équipe peut compter un nombre variable de joueurs. Vous pouvez choisir de vous limiter à un duo et obtenir ainsi toute l'attention de votre invité. Toutefois, nous ne le recommandons pas, particulièrement si vous jouez au golf pour la première fois en compagnie de cette personne. Vous ne savez jamais à l'avance comment va se développer votre relation. Votre journée peut devenir particulièrement ennuyeuse ou même gênante si l'un de vous est peu communicatif. Cette difficulté de communication peut entraîner des silences longs et pénibles à supporter.

Occasionnellement, jouer en trio peut être une formule acceptable si l'un de vos partenaires a dû s'excuser à la dernière minute. Le trio permet une communication plus intime. À trois, les probabilités sont faibles de tomber à court de sujets de conversation. Le désavantage le plus important réside dans la rapidité du jeu. Votre rythme rapide vous imposera des attentes plus longues que la moyenne. Si le cours est à pleine capacité, vous devrez, en prenant votre temps, vous adapter au groupe qui vous précède.

Un représentant manufacturier faisant affaire avec un Australien

Une des plus belles expériences que j'ai vécues au Business Golf s'est déroulée avec un de mes fournisseurs originaires d'Australie, mais qui venait à peine de s'installer aux États-Unis. Le plus amusant, c'est que ce client a passé très peu de temps avec moi sur le parcours.

Afin d'obtenir à tarif avantageux un produit pour l'un de mes client, j'essayais de développer une relation d'affaires avec cet Australien depuis un certain temps. Afin de compléter notre groupe, j'ai demandé à un membre de notre club, lui aussi d'origine australienne, s'il accepterait de se joindre à nous. Il était ravi. J'ai décidé de placer mon invité et son compatriote dans la même voiturette. Ils ont frappé leurs premières balles et ensuite j'ai à peine eu le temps de revoir mon invité sur le reste du parcours. Je suis certain qu'il a passé une journée formidable, car lorsque je l'ai joint la semaine suivante, il m'a proposé des prix de 4 % inférieurs à mes attentes. Compte tenu du volume d'affaires que je traitais, ce rabais représentait plusieurs milliers de dollars. Une journée de golf peut vraiment faire toute la différence. En terminant, j'oubliais de vous dire qu'au fil du temps nous sommes devenus amis et que nous jouons au golf ensemble plusieurs fois par année.

Dernièrement, nous avons découvert un jeu qui permet de maintenir un bel esprit de compétition lorsque nous jouons en trio. Lors de notre dernière visite au La Quinta's Nicklaus Course Dave Detone, un membre du Winged Foot nous expliqua ce jeu appelé « Baseball ». Si votre groupe aime les paris, voici comment fonctionne le jeu. Toutes les mises sont basées sur le pointage net pour chacun des trous, ce qui permet à tous les joueurs de jouer sur un pied d'égalité. Le gagnant du trou obtient cinq points, le perdant un point et le joueur ayant obtenu le pointage médian obtient trois points. Si les trois joueurs obtiennent le même pointage net, ils obtiennent chacun trois points. Si deux joueurs sont à égalité mais ont un pointage supérieur au troisième, le gagnant obtient cinq points et les perdants deux points. Si deux joueurs sont à égalité mais ont un pointage inférieur au troisième, les gagnants obtiennent quatre points et les perdants un point. Le total de points obtenus par trou doit toujours être égal à neuf. Assurez-vous que tous les joueurs comprennent bien le jeu avant le début de la partie. À notre avis, ce jeu est des plus amusants, mais malheureusement il ne fonctionne que pour des trios.

Lorsque vous jouez en trio, accordez une attention particulière à l'étiquette relative au déplacement en voiturette. Évitez d'exclure une personne des conversations en la laissant toujours seule dans sa voiturette. Une négligence dans ce domaine serait mal reçue et ne constituerait pas une forme de *Business Golf* très performante. Soyez conscient de la situation et trouvez des moyens d'inclure cette personne dans vos conversations. Montrez clairement que vous êtes soucieux des autres et agissez de façon à le faire sentir à votre invité.

Le regroupement le plus fréquent, le quatuor, permet plusieurs possibilités, tant au point de vue des places assises dans la voiturette, qu'à celui de la communication en général. Encore une fois, nous insistons sur l'importance de planifier soigneusement votre journée. Si vous jouez pour la première fois avec une personne avec qui vous souhaitez créer des liens et faire des affaires, vous devez absolument vous présenter sur le terrain avec un quatuor complet. Choisissez les membres de votre groupe avec soin. Obtenez le plus d'informations possible sur chacun des joueurs. Faites en sorte que les personnalités soient complémentaires.

Montez une équipe complète et jouez sur le tee approprié

(Sixième commandement du *Business Golf*)

Compte tenu du terrain que vous choisirez et de son achalandage, vous pourrez peut-être jouer en quintette. Normalement, ce type de regroupement est permis dans les clubs privés lorsque les conditions sont favorables. Les occasions de paris seront alors nombreuses et vous aurez beaucoup de plaisir.

Dans certaines situations particulières, par exemple des tournois de charité, vous pourrez vous retrouver dans une équipe de huit joueurs. Cela s'appelle jouer une partie à meilleure balle. Les joueurs choisissent le meilleur coup réalisé par un membre du groupe et jouent tous en continu à partir de cet endroit. Cette façon de faire se poursuit jusqu'à la fin de chacun des trous. Généralement, les pointages obtenus seront très bas, souvent inférieurs au par. Cette manière de jouer crée un esprit de compétition très fort et procure beaucoup de plaisir, surtout si tous les joueurs se connaissent. Si vous ne jouez pas quatre ou cinq parties de meilleures balles par année pour des œuvres de charité, vous manquez de belles opportunités de *Business Golf* et de participation à des bonnes causes.

Inviter une personne avec laquelle vous souhaitez faire des affaires à un tournoi pour une œuvre de charité peut être une autre excellente façon de développer de bonnes relations. Assurez-vous que la personne a une certaine expérience en matière de golf. Rien n'est plus frustrant que d'inviter une personne incapable de participer à un tournoi. Plutôt que de passer du bon temps avec votre invité, vous pourriez lui imposer une expérience déplaisante.

Différentes formes d'équipes produisent différents types d'opportunités. Informez-vous sur les préférences de votre invité, sur son handicap et sur la dernière partie qu'il a jouée. Voyez quelles autres personnes pourraient compléter votre équipe et contribuer au succès de votre *Business Golf*. Orchestrez votre journée afin qu'elle soit profitable à chacun des participants.

Une autre façon d'organiser votre partie

Courtier en valeurs mobilières, vous souhaitez développer une relation d'affaires avec un comptable, adepte du golf, que vous avez rencontré récemment Vous avez découvert qu'il se spécialise dans le secteur médical et qu'il a une grande réputation en matière de planification successorale. Vous avez pris contact avec un ami médecin, mordu de golf lui aussi. Celui-ci vous a déjà mentionné qu'il était à la recherche d'une firme comptable. Selon vos sources, le comptable a un handicap de 33. Votre ami médecin et vous en avez un de 10. Afin d'équilibrer votre quatuor et de le compléter, vous décidez d'inviter une autre connaissance, de passage dans votre ville. Avocat, cet homme se spécialise aussi en planification successorale et il a un handicap de 26. Ensuite, vous joignez le médecin et l'avocat afin d'obtenir deux ou trois dates auxquelles ils seraient prêts à s'engager pour une partie de golf. Finalement, vous joignez le comptable et fixez une date convenant à tous.

Bien sûr, une pareille démarche exigera de vous plusieurs appels téléphoniques, sûrement plus que vous ne l'imaginez en ce moment. Mais regardez ce que vous aurez accompli. Vous aurez bâti un scénario ou des opportunités d'affaires pour tous et particulièrement pour le comptable avec qui vous souhaitez créer des relations basées sur des références mutuelles. La clef du succès :

découvrir les besoins des participants et faire en sorte que chacun bénéficie au maximum de sa partie de *Business Golf*. En d'autres mots, accordez toute votre attention aux besoins de vos invités, et ce, en mettant de côté les vôtres. Soyez assuré que cette façon de faire vous permettra à tout coup d'établir de solides relations avec vos cibles, vos invités.

CHAPITRE 11

Les paris, les jeux, les combines et les blagues

Mickey Mantle adore parier. Il parie sur tout. En sa compagnie, vous perdez rapidement le fil de tous les paris en cours. Peu importe; à la fin de la partie, il vous dira combien vous lui devez.

Pat Summerall

Les paris

Nous croyons que les paris de sommes importantes ne sont pas favorables au *Business Golf*. Traditionnellement, les gros joueurs sont des habitués et connaissent très bien leur capacité de jouer sous une forte pression. D'une façon ou d'une autre, comprendre le jeu d'argent est très important.

La plupart des golfeurs aiment bien parier afin de maintenir une certaine pression sur le jeu et de créer une atmosphère compétitive. Il n'existe pas de formule magique pour déterminer les sommes qu'un joueur devrait ou ne devrait pas miser. Toutefois, il faut tenir compte de certains paramètres.

Commençons par une partie amicale, peu coûteuse généralement. Vous pouvez parier en jouant, même dans un contexte de *Business Golf*. Toutefois, agissez avec prudence. Les paris doivent avoir pour unique objectif d'ajouter du plaisir, de l'excitation au jeu. Bien sûr, certains joueurs considèrent le golf comme suffisamment excitant en lui-même sans ajouter de la pression avec des paris.

Au départ, déterminez les sommes maximales en jeu. Certains préfèrent ne faire aucun pari ou se limiter à des mises symboliques de par exemple 25 cents par trou. Si vous jouez avec une personne qui aime les paris, les mises seront de un à dix dollars par pari. Certains préféreront le « Nassau ». Ce jeu consiste à faire une mise pour le résultat des neuf premiers trous et une autre pour la deuxième portion du parcours. Ce type de paris est très répandu dans les parties de *Business Golf*. En cas de désastre dans la première portion de son parcours, un joueur aura l'opportunité de se reprendre dans la deuxième partie du parcours. D'un autre côté, un joueur constant dans son jeu pourra remporter une mise plus importante. Des adeptes du pari se retrouvent sur la plupart des parcours.

Rarement, un nouveau joueur sera placé dans une situation inconfortable par un groupe de parieurs réguliers, mais malheureusement cela arrive parfois. Ces joueurs misent des sommes quelquefois supérieures à plusieurs centaines de dollars; soyez prudent et mesurez bien les conséquences de vos décisions.

Méfiez-vous des joueurs que vous connaissez peu et qui se permettent de mentir sur leur handicap afin de favoriser leurs paris. Ironiquement, quand vous discutez avec certaines personnes en dehors du terrain, il y en a qui vont parler de leur handicap en exagérant leur performance. Ensuite, lorsque la question des paris est discutée sur le cours, elles doivent faire face à la réalité.

Fondamentalement, prenez le temps de bien mesurer votre handicap et de connaître le handicap réel de vos adversaires avant d'effectuer quelque mise que ce soit.

Établir son handicap selon les règles de la USGA n'est pas si difficile. Afin de le faire d'une façon convenable, prenez toujours en considération le « slop rating » qui tient compte de la difficulté de chacun des parcours. Un parcours peut avoir un « slop rating » de 141 et un autre en avoir un de 137. Plus le chiffre est élevé, plus le parcours est difficile. Afin de déterminer précisément votre handicap, multipliez le « slop rating » par votre handicap et divisez ensuite le résultat par 113, le standard officiel de la USGA. Si vous avez besoin d'aide, consultez votre pro ou demandez l'assistance de votre comptable !

Dans le *Business Golf,* les paris vous permettent de voir comment se comportent vos invités lorsqu'un élément de tension s'ajoute à la situation. Dans certains cas, vous découvrirez un aspect étonnant de leur personnalité. Quand des éléments d'excitation et de tension interviennent, certaines personnes deviennent très intenses et très compétitives. Tout changement, notable ou non, dans la façon d'agir vous en dira beaucoup sur la personne et ses réactions dans des situations stressantes, ce qui vous donnera de précieuses informations sur votre désir de développer des relations d'affaires avec elle.

Lorsque vous invitez une personne à une partie de golf, demandez-lui son handicap immédiatement. Ensuite, choisissez vos autres partenaires de jeu en fonction de cette personne. Jouez avec tout votre cœur, mais ayez la délicatesse de lui laisser gagner un trou de temps en temps.

Par exemple, si vous faites équipe avec votre invité et que vous êtes en situation favorable, permettez-lui de jouer en premier afin de conclure le trou ou la partie. S'il réussit, il se sentira heureux d'avoir relevé le défi. Si vous réussissez tous les deux, célébrez ensemble votre victoire.

Au *Business Golf,* nous recommandons de miser sur le pointage par trou et non sur le match.

Afin de rendre votre invité, et le reste du groupe à l'aise, déterminez sur quel tee le groupe a l'habitude de frapper. Si votre invité frappe normalement à partir du tee blanc et que vous jouez normalement à partir du tee bleu, rien ne vous empêche de jouer à partir du blanc. Si vous modifiez vos habitudes, ajustez vos paris afin de les maintenir équitables. Ajuster son pari en fonction des circonstances est subjectif. Toutefois, vous devriez tenir compte des points suivants :

Qui est le meilleur joueur ?

Est-ce qu'une personne connaît mieux ce terrain que les autres ?

Existe-t-il une réelle différence entre les tees de départ ?

Les joueurs sont-ils d'accord avec les ajustements proposés ?

Rappelez-vous que la victoire a peu d'importance au *Business Golf,* alors ne vous perdez pas trop en discussions inutiles. Lorsque vous proposez des ajustements afin de tenir compte du jeu de votre invité, vous devriez envisager de lui accorder un léger avantage.

Si vous jouez pour la première fois avec votre invité, nous vous recommandons de miser sur chacun des trous et non sur la partie entière. En général, c'est de cette façon que les parties de *Business Golf* sont jouées. Si vous ratez un coup, vous aurez la possibilité de vous reprendre au suivant, ce qui permettra à chacun de maintenir ses chances de gagner en évitant de blesser qui que ce soit.

Jouer pour dix cents ?

À Jacksonville, il y a quelques années, j'ai joué une partie de golf avec un groupe de gens que je ne connaissais pas très bien. Nous nous sommes présentés au départ et quelqu'un a demandé : « Quelle est la mise ? »

Un autre a répondu: « Jouons pour un dime ». Dix cents, me dis-je, nous sommes en présence de petits joueurs.

Alors, tout le monde s'est mis d'accord et nous avons joué pour un « dime », ensuite la mise a grimpé à un « quarter » et finalement à un « dollar ». Ce qui paraissait pour certain être un enjeu important; j'étais confus.

Rendu au 9e trou, j'ai demandé à mon co-équipier : « Où en sommes-nous ? »

Il m'a répondu : « Jusqu'à maintenant, nous perdons 1 800 dollars. »

« Quoi ?» me suis-je écrié.

« Bien sûr un « dime » c'est 100 dollars, un « quarter » c'est 250 dollars et un dollar c'est 1 000 dollars. »

Ce jour-là, j'ai inutilement perdu une somme importante. Depuis, je n'ai plus jamais hésité à poser des questions afin de connaître la nature exacte des paris proposés.

Et si la partie doit être interrompue ?

Que faire si un pari est en cours et que la partie doit être interrompue par la pluie ou la blessure d'un joueur ? Est-ce que vous devez automatiquement annuler tous les paris ? La personne gagnante ou en avance acceptera-t-elle un arrangement ? Ou le pari sera-t-il déterminé sur le trou que vous étiez en train d'achever ? Encore une fois, établissez les règles avant de frapper la première balle. Dans une partie amicale, est-ce que les paris ont une si grande importance après tout ? Notre expérience nous a appris que la meilleure solution consiste à annuler tous les paris si la partie doit être interrompue.

Les jeux

L'un des jeux les plus fréquemment joués par les quatuors est le « best ball », connu aussi sous le nom de « meilleure balle ». Le quatuor est divisé en deux équipes. Pour chacun des trous, chaque équipe ne retient que le meilleur pointage des deux joueurs. Si l'un obtient un quatre et l'autre un cinq, le quatre sera inscrit sur la carte de pointage.

Un autre jeu très populaire est le « Nassau ». Essentiellement, le parcours est divisé en deux mises distinctes, le premier neuf et le deuxième neuf. Toutefois, rien ne vous empêche de le diviser autrement.

D'autres golfeurs préfèrent le « greenies » (être le plus près possible du drapeau dans une normale trois), le « barkies » (réussir à frapper un arbre tout en respectant le par !). Nous avons entendu parler de ce jeu assez inusité pour la première fois par un assureur qui avait un handicap de 21, prêt à faire n'importe quoi pour parier. « Polies » (faire le par mais en frappant un roulé plus long que la longueur du drapeau). Ce dernier jeu fut inventé, nous croyons, à Corbin dans le Kentucky, près des installations de Pepsi-Cola. Toutes ces formes de jeu rajoutent un élément d'amusement et de défi au jeu tout en favorisant une atmosphère détendue et amicale.

Des animaux sur le parcours ?

Bien sûr, nous parlons ici de singes, de serpents, de grenouilles et de chameaux. Le singe frappe en dehors des limites du terrain, le serpent s'éternise sur le vert en frappant plus de trois coups, la grenouille frappe dans l'eau et le chameau dans le sable. Ce jeu est amusant à jouer avec un ou des clients, et personne ne peut être vexé en perdant beaucoup d'argent. Au départ, vous présentez chacun des animaux et chaque participant doit en choisir un. Le but du jeu est de réussir à passer votre animal à une autre personne. Par exemple, si vous avez choisi le chameau, vous pouviez le passer à un autre joueur si sa balle tombe dans la trappe de sable. Bien sûr, vous devez être attentif et ne pas rater votre chance lorsqu'elle se présente. Sinon, vous serez obligé de conserver votre animal et d'attendre qu'une autre personne tombe dans une trappe de sable. La même recommandation s'applique aux autres animaux. Le joueur qui termine la partie coincé avec son animal doit remettre un dollar à tous les autres joueurs, ou offrir une tournée au bar, ou tout autre enjeu fixé à l'avance.

Jack Nells

Aucune affaire ne se construit sur des paris

Que faire lorsqu'un joueur vous propose de jouer de fortes sommes. Inévitablement, vous tomberez un jour sur un joueur qui aime risquer de fortes sommes et malheureusement pour vous, ce sera peut-être une personne avec laquelle vous souhaiteriez établir des relations d'affaires.

Parier des sommes importantes n'est pas une façon constructive de faire des affaires, à moins que vous ne connaissiez très bien la personne avec qui vous comptez le faire. Évidemment, certains gros joueurs seront peut-être insultés si vous refusez de parier de fortes sommes. Mais respectez vos limites et votre capacité de payer. Les habitudes de pari de votre invité font partie des informations que vous devez posséder afin de passer une agréable journée.

Jouez dans votre zone de confort

Lorsque des sommes importantes sont en jeu, vous devez agir avec prudence, de façon différente. Des golfeurs qui aiment jouer de fortes sommes seront souvent à la recherche de nouvelles victimes. Rappelez-vous : jouez toujours dans votre zone de confort. Tous les joueurs acceptent de perdre une certaine somme d'argent avant d'atteindre leur zone d'inconfort. Cela ne veut pas dire que vous souhaitez perdre, cela veut simplement dire qu'en jouant vous êtes prêt à assumer un certain risque. Les montants varient d'une personne à l'autre. Pour certains la limite sera de quelques dizaines de dollars, pour d'autre elle sera de quelques milliers de dollars. Ne dépassez jamais votre zone de confort ou votre capacité de faire face à vos obligations.

Si vous dépassez cette zone de confort, plusieurs événements se produiront. Premièrement, vous subirez de la pression. Les coups que vous réalisez normalement avec facilité deviendront plus difficiles. Vous perdrez une partie de votre confiance en vous dans les roulés. Vous deviendrez peut-être plus irritable qu'à l'habitude, ce qui risque de provoquer des situations malheureuses. Rapidement, vous sentirez que vous n'êtes plus vous-même et vous perdrez.

Curieusement, peu importe les sommes pariées, on est parfois étonné de constater qu'on ne se trouve plus dans son état normal ou dans sa zone de confort. Souvent même on se surprend à être déconcentré par les joueurs qui nous accompagnent ou par le tournoi dans lequel on le joue. Concentrez-vous sur votre partie et non sur la partie. Rappelez-vous des conseils suivants :

Dans un tournoi, il n'est pas sage d'essayer de dépasser ses habiletés. Évitez les coups impossibles.

N'essayez pas de surpasser un joueur dont les habiletés sont de toute évidence supérieures aux vôtres. Cela vous ajoutera une pression inutile et vous fera perdre le plaisir du jeu.

Si vous êtes le meilleur joueur de l'équipe, ne changez pas vos habitudes pour vous adapter à vos partenaires. Soyez humble, mais jouez selon votre talent.

Le physique et le mental

Abordons maintenant le délicat sujet du physique et du mental. Le golf est un sport plus proactif que réactif. Dans d'autres sports tels que le tennis, le football ou le soccer, les athlètes doivent réagir au jeu. Au golf, vous disposez d'une période de temps extraordinairement longue de réflexion avant de frapper votre balle. Généralement, vous aurez même le temps de mesurer votre attitude mentale face au coup à frapper. Si votre attitude est négative, cela affectera votre coup. Peut-être que vous manquez de sommeil, ou que vos problèmes familiaux ou professionnels vous préoccupent. Ces préoccupations vous suivront sur le parcours, particulièrement si vous avez parié. Si vous décidez de jouer des sommes importantes et que vous n'êtes pas en forme, préparez-vous à perdre et vivez avec votre décision jusqu'au 18e trou.

Les combines

Le « trio en voyage » est sans aucun doute la forme de combine la plus courante. L'un des membres du groupe essayera de trouver un joueur reconnu comme étant un gros parieur pour compléter le trio. Les membres agiront comme s'ils ne se connaissaient pas entre eux. L'un d'eux suggérera de jouer selon la formule « Robins ». Cette formule consiste à jouer une nouvelle partie à tous les trois trous.

Au premier, quatrième, septième... départ, chacun lance sa balle dans les airs. Les équipes sont déterminées en fonction de la proximité des balles de chacun des joueurs. Les deux balles les plus rapprochées jouent dans la même équipe. À tous les trois trous, de nouvelles équipes se forment. Si les autres réussissent à vous convaincre de jouer à coups de 50 dollars, vous perdrez d'importantes sommes d'argent. Vous réussirez peut-être à battre leurs meilleures balles, mais votre partenaire ne vous aidera jamais. Ils vous proposeront toutes sortes de jeux afin de favoriser leurs gains. Soyez certain qu'ils contrôleront le déroulement de la partie. Agissez avec prudence.

Savoir se contrôler

Un joueur qui réagit impulsivement et avec une colère excessive lorsqu'il frappe un mauvais coup perdra souvent des sommes importantes au jeu. Membre de son équipe, son partenaire ne souhaite surtout pas lui dire, ou lui faire sentir, que son jeu le contrarie aussi, alors il reste calme et sourit. Toutefois, lorsque le groupe arrive au 4e ou au 5e trou, les différentes personnalités s'affichent plus ouvertement et certaines frictions peuvent apparaître. Les comportements changent, les bâtons s'envolent et des insultes s'échangent sans retenue. La journée, qui s'annonçait agréable, devient soudainement très acide. Que feriez-vous en pareille circonstance ? Vous deviendriez un adepte de la pêche ? Vous prendriez une autre bière ? Vous retourneriez immédiatement à votre voiture ?

Prenez une grande respiration, pensez calmement à la situation et au reste de la journée, qui s'annonce magnifique, et offrez quelques mots d'encouragement au joueur qui se laisse emporter par son immaturité. Bien sûr, vous vous dites que cette situation ne risque pas de se produire, car M. Mauvais Humeur ne sera plus invité ou ne fera plus partie de votre groupe. Parfois, annuler les paris peut contribuer à calmer l'humeur de certains. Le golf est trop amusant pour que votre journée et celle de vos coéquipiers soient gâchées par une attitude négative.

Plusieurs joueurs sont incapables de se contrôler lorsqu'il s'agit de paris. Ils rêvent de jouer pour des sommes plus importantes que celle qu'ils sont capables de perdre, un peu comme des alcooliques. Ils continuent de penser qu'ils gagneront toujours plus qu'ils ne perdront. Ils essayent sans cesse de se refaire. Ils pensent que, malgré tout, ils garderont leurs amis et pourront regagner les sommes perdues. Ils agiront de la même façon sur le parcours, aux courses ou à Las Vegas. Au fond, ce sont de mauvais perdants. Ils ne s'arrêteront pas, même après avoir perdu encore et encore. Comme le chantait Kenny Rogers, lorsque les cartes semblent jouer contre vous : « *You've got to know when hold'em, and know to fold'em.* »

Il faut admettre que nous sommes humains et qu'il nous arrive à tous, un jour, de rager. Toutefois, la façon dont nous nous maîtrisons face à la situation a un impact significatif sur le succès ou non de nos paris. Au jeu, vous aurez toujours un avantage sur les joueurs orgueilleux au tempérament explosif. Rager et maintenir sa concentration ne vont pas de pair.

Si vous décidez de parier avec une personne que vous ne connaissez pas, accordez une attention particulière à sa façon de frapper ses coups rapprochés et ses roulés. Cela vous donnera beaucoup d'informations sur ce joueur. S'il réussit bien ce type de coups, la partie ne sera pas facile à gagner. Cela ne veut pas dire que vous perdrez la partie, mais vous devrez mériter votre victoire. En pareille circonstance, vos facultés mentales auront un impact plus important que vos habiletés de golfeur. Lorsque vous jouez ce genre de parties, c'est la façon dont vous contrôlerez votre concentration et votre tempérament qui fera la différence entre perdre ou gagner.

Miser ajoute un élément d'excitation et de plaisir au jeu; soyez humble dans la victoire et acceptez la défaite avec grâce.

Les blagues

Si vous êtes incapable d'accepter une blague, ne jouez pas au golf. Au fil du temps, nous avons tous joué des parties risibles. Personne ne joue parfaitement. Concentrez-vous sur le développement de vos relations d'affaires, et ce, peu importe votre qualité de jeu. Ne vous prenez pas trop au sérieux sur un parcours de golf, et encore moins dans un contexte de *Business Golf*. Toutefois, vous devez respecter et comprendre vos partenaires de jeu.

Peu importe le type de personnalités qui composeront votre groupe, échanger quelques blagues fait partie du plaisir du jeu. Apprendre quelques blagues et savoir les raconter avec doigté n'est pas si difficile. Évitez les histoires de mauvais goût, racontez plutôt des blagues qui correspondent à votre personnalité. Si vous les trouvez drôles vous-même, vous les raconterez normalement avec plus d'efficacité. Toutefois, tous les joueurs ne sont pas réceptifs. Si une blague ne fait pas rire, ne vous inquiétiez pas. Racontez-en une autre. Bien sûr, nous ne sommes pas au festival de l'humour, mais le golf doit se pratiquer dans un contexte amusant. Afin de ne pas retarder le jeu, évitez les blagues trop longues.

Naturellement, certaines personnes sont mal à l'aise, ou peu habiles, pour raconter des blagues ; ce n'est pas grave. Si vous êtes mal à l'aise, ne le faites pas. Soyez vous-même et essayez de faire en sorte que votre invité passe un bon moment. Si vous essayez de raconter des blagues en dépit de votre malaise, les autres le constateront immédiatement.

Nous avons un ami restaurateur, en Alabama, qui est incapable de garder un visage sérieux en racontant une blague. En plus d'être un joueur redoutable, Roy Hockman est la personne la plus agréable que nous connaissions pour partager une partie de golf. Ses bois sont recouverts de petits singes de peluche qui, inévitablement au cours de la partie, deviennent des personnages de ses histoires parfois crues mais toujours amusantes. Il dispose d'un talent particulier; toutefois, Roy insiste pour dire que son humour ne lui fera jamais quitter son emploi de jour. Tout en racontant des blagues sans arrêt, pendant des heures, Roy poursuit des objectifs précis de *Business Golf* sur le parcours. Son succès repose sur son style et sur l'atmosphère qu'il crée autour de lui. Votre personnalité se manifestera avec éclat sur un parcours de golf. Plus que n'importe où ailleurs, votre invité vous y verra sous votre vrai jour. Il observera votre façon de réagir en différentes circonstances. Au fond, la règle est simple : jouez toujours en respectant les règles et amusez-vous.

Sommaire de la troisième partie

- Arrivez tôt sur le parcours et planifiez l'arrivée de votre invité.
- Assurez-vous que votre invité arrive suffisamment tôt pour avoir le temps de se réchauffer et assurez-vous de sa disponibilité pour un moment de détente après la partie.
- Pensez aux questions ouvertes que vous pourrez poser à votre invité afin d'entamer la conversation et d'éviter les temps morts.
- Laissez aux professionnels le soin d'enseigner.
- Si votre invité aime parier, faites des mises raisonnables, et faites une mise à chacun des trous plutôt que pour la partie entière. Établissez clairement les règles avant de frapper la première balle.
- Apprenez quelques blagues de bon goût.
- Ne faites pas de blagues au détriment de votre invité.

PARTIE 4
Jouer une partie

CHAPITRE 12

« Et maintenant, le départ... »

Étant donné que tout avait été soigneusement organisé à l'avance, je me sentais détendu. Toutefois, les choses allaient bientôt changer avec le début de notre partie. Jim et moi allions être coéquipiers. Il me proposa de frapper la première balle, mais je déclinai son offre, car je préférais voir comment Steve et Bill jouaient.

En voyant Bill frapper un premier coup sans éclat, je demeurai détendu et j'appréciai mon bonheur de me retrouver sur un terrain de golf. Ensuite, Steve s'élança et manqua totalement son coup; nous lui accordâmes un coup de reprise. En voyant leurs performances, je me dis en moi-même que cette partie serait une vraie promenade. Ensuite, je fus invité à frapper ma première balle. Tout à coup, un sentiment de panique m'envahit. Je me dis : « Il ne faut pas que je rate cette balle. S'il vous plaît, faites que cette balle atterrisse au beau milieu du parcours, je n'ai pas envie d'avoir l'air du dernier des imbéciles. » J'avais un nœud terrible dans l'estomac. Je m'élançai et envoyai ma balle directement dans le bois, sur une distance dépassant à peine trente verges. Les trois trous suivants furent à l'image du premier. Mais, encore une fois, je constatai l'habileté de Jim en matière de Business Golf. Sans faire aucun commentaire sur la qualité de mon jeu, Jim détourna mon attention en ma parlant de la beauté du terrain et de son aménagement. Nous passâmes, finalement, une journée merveilleuse, à perdre notre match et à parler d'affaires. Sa délicatesse avait fait toute la différence.

John Creighton

Les honneurs et la nervosité du 1er trou

Que pouvez-vous faire pour que votre invité soit détendu et entreprenne bien sa partie ? Au *Business Golf*, nous recommandons d'offrir à votre invité l'honneur de commencer la partie plutôt que de tirer au sort pour savoir qui devrait le faire. C'est une question d'étiquette et de courtoisie, du moins pour le 1er trou. Ensuite, vous ne devriez pas accorder une attention particulière à déterminer qui sera le premier joueur pour les trous suivants. D'une façon générale, les règles dictent que le joueur avec le pointage le plus bas frappe le premier au trou suivant. Ainsi, si vous suivez les règles, le 1er trou est le seul endroit où vous pouvez offrir cet honneur. Soyez courtois et offrez-le à votre invité.

Il arrive inévitablement au 1er trou, nous l'avons tous vécu un jour ou l'autre, que nous ayons peur de frapper un mauvais coup sous le regard attentif de tous les autres joueurs. La dernière chose que nous souhaitons est de paraître ridicule. Et si vos adversaires vous offrent un coup de reprise, vous êtes alors déconcentré pour frapper votre deuxième balle et ressentez une immense pression sur vos épaules. Tous les golfeurs qui ont une certaine expérience en témoignent : un mauvais départ peut parfois transformer la personne la plus calme en un être totalement imprévisible.

Voici une autre façon de choisir la personne qui frappera la première balle, applicable surtout dans un contexte où les joueurs ont des degrés d'habileté très différents les uns des autres. Même pour un joueur d'expérience, le golf peut devenir très intimidant. Alors, certains joueurs ayant un handicape élevé, souhaiteront frapper en premier, parfois simplement afin d'entrer en jeu, de briser la glace et de faire partie du groupe. Le golfeur au handicap élevé qui agit ainsi crée une atmosphère plus détendue, que le golfeur d'expérience qui essaie d'intimider les autres dès le départ. D'une façon générale, les golfeurs d'expérience, au faible handicap, frapperont en dernier, afin de ne pas intimider les joueurs moins expérimentés. De plus, le joueur expérimenté essayera instinctivement de battre le meilleur coup; cette pression peut parfois entraîner de mauvais coups et rétablir une forme d'équilibre entre les joueurs.

John Allen et le trac du 1er trou

Il y a environ trois ans, j'ai eu la chance de jouer, avec un de mes clients potentiels, sur l'un des parcours de golf les plus exigeants de la ville. Je savais que mon invité était un golfeur de haut calibre, ce qui n'est pas mon cas. Avant de commencer notre partie, nous avons frappé quelques balles sur le terrain d'exercice. Quelle erreur ! J'avais l'impression que mon invité frappait la balle à plus d'un kilomètre.

En me dirigeant vers le 1er trou, je suis envahi d'une grande nervosité. Mon invité s'approche, s'élance et frappe la balle à environ 300 verges, au beau milieu du parcours. J'aurais voulu disparaître, prétendre que j'avais mal au dos ou toute autre excuse pitoyable. Mais une chose très étrange s'est produite alors. Il avait dû remarquer ma nervosité, car il me dit avec désinvolture : « C'est la meilleure balle que j'ai jamais frappée. Ne t'en fais, tu sais, je risque d'avoir besoin de ton aide sur le vert. » Sa délicatesse m'a permis de me reprendre. Avec une confiance retrouvée, j'ai frappé ma balle à plus de 100 verges, mais complètement à droite. Mon coup de reprise a été plus acceptable, la balle est tombée à environ 210 verges du départ.

Mon invité affichait une grande humilité dans son jeu. Ses encouragements répétés et son humour m'ont permis de jouer avec plus de confiance. Finalement, nous avons passé une journée formidable, discuté affaires et, depuis, nous jouons ensemble plusieurs parties chaque année.

Le premier élan et les coups de reprise

Si votre invité voit pour la première fois le parcours où vous vous retrouvez, ayez l'initiative et la délicatesse de lui indiquer les endroits où il lui serait le plus favorable de frapper sa balle, indiquez-lui les obstacles ou toute autre élément significatif. Agir ainsi fait partie du plaisir de jouer et permet à chacun de profiter d'une atmosphère de détente et de confiance.

Si votre invité frappe une mauvaise balle, suggérez-lui un coup de reprise. Démarrez positivement la partie. S'il frappe un bon coup, soulignez l'exploit et félicitez-le. N'en faites pas trop, n'exagérez pas, mais soulignez la performance.

Que faire si votre invité rate son coup de reprise ? Les golfeurs amicaux permettent parfois plusieurs coups de reprise, tant que la balle ne s'éloigne pas trop des bornes. Chaque parcours impose ses propres règles en cette matière, mais, d'une façon ou d'une autre, faites en sorte que chacun puisse bénéficier d'un départ décent. Bien sûr, ce type de largesse ne serait pas permis dans une partie plus sérieuse ou dans un tournoi.

Si la balle se dirige hors des limites, regardez attentivement où elle tombe. Ensuite, afin d'éviter de perdre inutilement du temps et de ralentir le jeu, encouragez votre invité à frapper une autre balle au cas où la première serait introuvable. Si la balle quitte encore les limites du terrain, proposez à votre invité de placer une nouvelle balle près de la vôtre ou bien en bordure du terrain près de l'endroit où se trouve la balle perdue. Soyez très délicat lorsque vous proposez à votre invité de ramasser sa balle. Certaines personnes pourraient être offensées par votre suggestion. Heureusement, nous rencontrons peu de puristes, mais il y en a tout de même. D'un autre côté, si vous avez le malheur de frapper votre balle en dehors du terrain, peut-être devriez-vous simplement l'oublier. Frappez une balle de remplacement et tenez pour acquis que la première balle est définitivement perdue. Ne gaspillez pas inutilement votre temps à chercher votre balle. Assumez le mauvais coup et continuez votre partie. L'objectif demeure toujours de ne pas ralentir inutilement le jeu.

Rappelez-vous que si vous éprouvez des difficultés sérieuses avec un trou et que vous avez déjà un triple boguey et ce, avant même d'avoir atteint le vert, ramassez votre balle. Au *Business Golf,* vous ne jouez pas pour le pointage.

N'est-il pas horrible de commencer une partie en frappant sa première balle à moins de 100 verges ? Dès le départ, votre humeur devient maussade et votre journée est compromise. Certains joueurs utilisent une règle formidable, qui s'appelle « hit till you're happy ». Reprenez encore et encore votre élan jusqu'à que vous soyez heureux de l'emplacement de la balle. J'adore cette règle.

« Mon petit seau de balles »

Malheureusement, certains parcours n'ont pas d'endroits qui vous permettent de vous réchauffer avant le début de votre partie. Si vous choisissez de faire une partie au beau milieu de la semaine, vos partenaires et vous, pressés par un horaire chargé au bureau, vous n'aurez peut-être pas le temps requis pour faire un bon réchauffement. Dans ce contexte, les coups de reprise devraient toujours être permis au 1er trou. Kim Schwencnke, spécialiste de l'immobilier, fait référence à ce type de situation en utilisant l'expression « Mon petit seau de balles »; d'autres l'appellent le coup de reprise et d'autres encore utilisent l'expression anglaise « mulligan ». En dehors des périodes de fort achalandage, les terrains de golf permettent les coups de reprise sur le premier départ. Ce type d'ouverture permet aux golfeurs de briser la glace et de réduire la tension.

Établissez les règles avant de frapper la première balle

(Septième commandement du *Business Golf*)

La majorité des golfeurs qui pratiquent le *Business Golf* suivent l'étiquette et les règles proposées par leurs clubs et par la USGA. En général, les golfeurs qui ne connaissent pas ces règles apprécieront l'assistance de ceux qui les connaissent. Toutefois, cette connaissance ne doit jamais se transformer en intimidation ou en dictature. Si votre partenaire est un golfeur plus expérimenté, il sera impressionné si vous suivez, malgré tout, les règles. Si vous choisissez de jouer en fonction de règles exceptionnelles ou particulières, déterminez-les avant de frapper la première balle.

Avant de vous engager dans un pari, établissez soigneusement votre handicap. Et ne soyez pas surpris d'apprendre que certains joueurs ne connaissent pas précisément le leur. Dans un contexte de pari modeste, ne soyez pas trop pointilleux, demandez-leur simplement d'en établir un qui, dans la mesure du possible, représente leur qualité de jeu. La grande majorité des golfeurs sont honnêtes et le handicap qu'ils vous mentionneront correspondra à la réalité. Bien sûr, un certain nombre de joueurs souhaiteront s'avantager en déclarant un handicap plus élevé que la réalité. Peu importe, vous vous en rendrez compte rapidement et saurez à quoi vous en tenir pour vos décisions d'affaires.

D'autres joueurs profiteront avec plaisir du golf et obtiendront des grands succès au *Business Golf* sans pour autant suivre les règles de la USGA. Toutefois, une bonne partie de leur succès reposera, sans aucun doute, sur leur capacité de fixer soigneusement les paramètres du jeu avant de frapper la première balle.

Est-il approprié ou non de ne pas tenir compte de certaines règles ? La réponse est claire : les règles sont les règles. D'une façon générale, il n'existe pas de bonne raison de les contourner. Toutefois, certaines circonstances exceptionnelles peuvent nous obliger à le faire et il n'est pas inhabituel de voir certains joueurs ignorer même les règles les plus élémentaires. Toutefois, sachez en tout temps à quoi vous en tenir et précisez en fonction de quelles règles la partie sera jouée. Cette prudence éliminera toute source de conflits ou de problèmes potentiels.

Les règles permettent parfois de régler un pari litigieux et de sauver une association.

A Las Vegas, j'accompagnais deux autres golfeurs au Desert Inn Resort. Curieusement, les deux étaient originaires de la Virginie et habitaient à moins de 30 minutes de chez moi. Roger et David étaient des gens très cordiaux, de bons joueurs de golf, très agréables à côtoyer, et, des partenaires dans une entreprise. Je devinais par leurs commentaires : « Un point pour moi » ou « C'est gagné », qu'ils faisaient de petits paris discrets entre eux.

Au 18e trou, David frappa sa balle derrière le vert. Rendus près de celle-ci, nous constatâmes qu'elle se trouvait collée à une obstruction. David me demanda quel était le règlement en pareille circonstance. Je lui donnai mon opinion et me dirigeai vers ma balle, en oubliant rapidement sa situation. Soudainement, David souhaita obtenir une deuxième opinion; je lui suggérai alors de s'adresser au pro. Heureusement, personne ne se trouvait derrière nous et nous pûmes prendre le temps de cherche une solution. Apparemment, le pari en cours entre eux était plus important que je ne le croyais au départ. Sans solution, les deux partenaires sourirent finalement, se serrèrent la main et convinrent de régler leurs problèmes lorsqu'ils seraient de retour en Virginie. Comprendre les règles et savoir se fixer des balises avant de commencer une partie peut faire toute une différence.

Ayez toujours dans votre sac le livre de règlements

(Huitième commandement du *Business Golf*)

Soyez attentif à votre invité lorsque vous jouez au golf. Peu importe leurs habiletés, la plupart des gens apprécient qu'on leur montre de l'intérêt.

Lorsque vous cherchez une balle, faites-le rapidement, ne perdez pas de temps en discutant avec les autres joueurs qui se trouvent encore sur le parcours. La règle de la USGA accorde un délai de cinq minutes; au *Business Golf*, limitez-vous à quatre-vingt-dix secondes. Si vous êtes incapable de trouver rapidement la balle, allez de l'avant, ne retardez la partie. Les adeptes du *Business Golf* favorisent un golf qui maintient un bon rythme.

N'essayez pas d'être juge et juré

Le golf est l'un des rares sports où nous devons être notre propre arbitre. Le jeu est basé sur des valeurs d'intégrité, d'honnêteté et d'éthique. Voilà pourquoi c'est le seul sport où se manifeste vraiment la personnalité véritable des joueurs. Des erreurs se produiront. Rappelez-vous toujours que vous n'êtes pas le juge et le jury. L'essentiel consiste à savoir gérer ses propres erreurs. Tel joueur a-t-il reconnu son erreur avec humilité ou refuse-t-il de l'admettre et est-il sur la défensive ? Le golf vous apprendra beaucoup sur les autres. Parfois, il est préférable de renoncer à la discussion, même si agir ainsi vous fait perdre le trou. Le golf se doit d'être amusant, ne compliquez pas la situation inutilement.

Certains golfeurs inventent leurs propres règles. En voici un exemple, peu recommandable, utilisé par un quatuor imaginaire du Midwest. Allez, riez, c'est le moment.

Au 1er trou, les joueurs peuvent frapper autant de balles qu'ils veulent afin d'obtenir un résultat satisfaisant. Tout le monde reconnaît qu'un bon joueur doit d'abord se réchauffer, mais malheureusement le temps manque pour fréquenter les terrains d'exercice.

Lorsqu'une balle frappe un arbre, on devrait déclarer qu'elle ne l'a pas touché. Frapper un arbre est une malchance, et cette situation n'a pas sa place dans un jeu scientifique tel que le golf. Le joueur devra donc évaluer la distance que la balle aurait dû parcourir si elle n'avait pas touché l'arbre. À partir de ce point, il reprend le jeu.

Une balle n'est jamais perdue. Elle se trouve quelque part sur le terrain ou en bordure de celui-ci. Un jour quelqu'un d'autre la trouvera et la gardera. Alors, on parle d'une balle volée, ce qui n'impose aucune pénalité.

Lorsqu'une balle tombe dans une trappe de sable, si le joueur ne réussit pas à la sortir du premier coup, ses autres essais ne devraient pas compter. Un seul coup devrait ajouter à la carte de pointage. Cette mesure est recommandée, car étant donné que le joueur agit rapidement pour ne pas retarder le jeu, son degré de concentration n'est pas optimal.

Si votre roulé passe par-dessus le trou sans y avoir pénétré, la balle est réputée y avoir pénétré. La loi de la gravité est claire : à défaut d'être retenu, tout objet tombe vers le sol. Alors, la loi de la gravité a plus de poids que celle du golf.

La même règle s'applique si votre balle s'arrête à la limite du trou, juste au bord de la cavité, défiant ainsi la loi de la gravité. Vous ne pouvez défier la gravité.

La même règle s'applique si votre balle tourne autour du trou sans y pénétrer.

Un roulé qui s'arrête assez près du trou pour provoquer des commentaires du type « Vous devriez souffler sur la balle pour la faire pénétrer », doit être considéré comme un coup réussi. Bien sûr, cette règle ne s'applique à aucune balle qui se trouve à plus de cinq centimètres de la cavité.

Le Président Ford

Le président Ford ne perd jamais une balle. Partout où il se déplace, huit agents des services secrets l'accompagnent. Imaginez : plutôt que de chercher la balle à une ou deux personnes, vous êtes huit ou neuf. Quel homme sympathique et quel amoureux du golf ! Malgré l'âge, il joue toujours d'une façon compétitive. Il nage huit kilomètres quotidiennement pour se garder en forme. Pourquoi le fait-il ? Pour continuer à jouer au golf, bien sûr !

Pat Summerall

CHAPITRE 13

Dans l'allée

Lanny Wadkins, un joueur rapide

Jouer avec Lanny vous permettra de vivre une expérience unique, celle de jouer au golf sans perdre une minute. Vous êtes devant votre balle, pas une minute à perdre, allez, frappez-la. Pensez au coup que vous comptez faire avant de rejoindre votre balle. Pas de réflexion ni d'étirement, frappez. Essayer même de prédire le coup que Lanny frappera est impossible, il est trop rapide.

Pat Summerall

« Ready golf »

Au « ready golf », vous frappez votre balle lorsque vous êtes prêt à le faire. L'ordre des joueurs n'a pas d'importance. Assurez-vous simplement de le faire de façon sécuritaire.

Généralement, cette situation se produira d'une façon naturelle. Personne ne prend la décision de le faire, mais la partie se déroule ainsi. Lorsqu'un groupe attend derrière vous et que le trou suivant est libre, vous aurez envie d'adopter ce type de jeu. Dans certaines circonstance, savoir prendre les bonnes décisions afin d'accélérer le jeu sera perçu favorablement par votre invité et démontrera votre connaissance de l'étiquette.

Si votre club offre ce service, une autre solution pour accélérer le jeu consiste à embaucher un cadet. Dans les chapitres précédents, nous avons discuté des différents avantages de jouer accompagné d'un cadet.

Dans l'allée, qui frappe la balle en premier?

Si votre balle se retrouve à la même distance du vert que celle de votre invité, par courtoisie, invitez-le à frapper le premier, comme vous l'inviteriez à entrer le premier dans un restaurant. La courtoisie est propice à la création de liens d'affaires favorables.

La voiturette devrait être immobilisée à quelques mètres de la balle. Si elle crée de l'ombre, déplacez-la.

Ramassez votre balle au moment opportun

(Neuvième commandement du *Business Golf*)

Si vous constatez que vous avez perdu plus de cinq minutes à la recherche d'une balle, invitez le groupe qui vous suit à passer devant. Par courtoisie, demandez l'accord de vos partenaires avant de faire cette offre. Ne soyez pas surpris si certains refusent et accélèrent subitement leur rythme. Gardez une forme de contrôle sur le déroulement et le rythme de la partie. Si le trou suivant est libre et que votre groupe n'a pas un rythme adéquat, démontrez vote leadership et agissez. C'est une question d'étiquette et de respect envers les joueurs et les équipes qui vous suivent.

Qui se soucie des mottes de gazon ? Il repoussera

La plupart des voiturettes de golf ont un seau rempli de sable accroché à l'arrière. Comme nous l'avons mentionné précédemment, assurez-vous qu'il est bien rempli avant de commencer votre partie. Chaque terrain a une philosophie différente en cette matière. Dans certains endroits, les responsables préfèrent que les golfeurs replacent sur les trous les mottes de gazon arrachées. D'autres préfèrent que les golfeurs ne replacent pas les mottes arrachées mais déposent plutôt de la terre fertilisante, car les mottes d'herbes seront ramassées plus tard par les employés d'entretien. Demandez au pro ou au responsable des départs quelle est la philosophie du club à ce sujet.

Un râteau ?

Lorsque vous vous approchez d'une trappe de sable, il n'est pas rare que vous trouviez un râteau à proximité. Selon les normes de la USGA, il est préférable, après l'avoir utilisé, de le laisser en bordure du trou. Peu importe les normes et les règles en vigueur, agissez convenablement, réparez vos dégâts. Aux yeux de votre client, vos actions parleront plus que tous les règlements ou normes.

Les sentiers prévus pour le déplacement des voiturettes n'ont pas été créés pour les autres

Parfois, après une bonne averse, votre voiturette devra demeurer dans les sentiers créés à cette fin. Si votre balle se trouve de l'autre côte de l'allée, le choix d'un bâton peut devenir problématique. Bien que vous ayez une bonne idée du choix à faire, apporter d'autres bâtons afin de prévoir toutes les éventualités. Rien n'est plus navrant que de voir un golfeur traverser l'allée, à multiples reprises, afin de changer de bâton. Pensez aux dommages que vous pourriez causer au terrain. Apportez aussi, au besoin, une provision de sable ou de fertilisant. Encore une fois, à cause de la pluie, certains clubs, vous demanderont de respecter la règle des 90 degrés, c'est-à-dire que votre voiturette devra être immobilisée sur le sentier directement vis-à-vis votre balle, même si elle se trouve de l'autre côté de l'allée. Par respect pour le terrain, vous traversez l'allée en ligne droite, frappez votre balle,et revenez, sans détour, à votre voiturette. Je ne suis pas un expert en géométrie, mais je sais de quoi a l'air un angle de 90 degrés et c'est bien différent d'un angle de 20 ou 45 degrés.

Mon filleul, Jeff Biesiada, et moi jouions sur un parcours qui avait dû imposer cette règle des 90 degrés à cause des averses de la nuit précédente. Notre départ avait été retardé de plus d'une heure à cause du brouillard. Ce retard avait provoqué un surnombre de joueurs et deux équipes à la fois devaient prendre le départ en même temps. Malheureusement, plusieurs n'accordaient aucune attention à cette règle. Nous pouvions voir les empreintes laissées par les voiturettes partout sur le terrain, nous pouvions même deviner l'endroit où les différentes balles avaient atterri. En voyant les dégâts, Jeff a pu constater la valeur et l'utilité de cette règle, surtout lorsque sa balle est tombée dans une profonde trace laissée par des joueurs qui nous précédaient.

John Creighton

Sur certains parcours, les indications pour les sentiers des voiturettes manquent. En vous approchant du vert, si vous constatez qu'il n'y a pas d'indication, restez sur le sentier. La plupart des normales trois inviteront les chauffeurs de voiturette à rester sur le sentier en tout temps. Ce qui ne veut pas dire que vous devriez, dans ce cas, suivre la règle des 90 degrés. Encore une fois, ayez la prudence d'apporter plus d'un bâton lorsque vous vous déplacez.

Les trappes de sable

Si vous choisissez d'agir comme le cadet de votre invité, vous créez une ambiance propice à susciter des liens. S'il frappe sa balle dans une trappe de sable, tendez-lui le râteau s'il ne le prend pas lui-même. Nous apprenons tous par l'exemple. Si vous avez des doutes sur la façon de passer le râteau dans la trappe de sable, voici un conseil : faites disparaître toute trace de votre passage, y inclus vos traces de pas. Rien n'est plus désolant que d'arriver dans une trappe où le râteau a été passé avec négligence ou ne l'a pas été du tout. Montrez l'exemple, vous verrez, votre attitude sera contagieuse.

Prenez quelques secondes de plus pour effacer les traces de vos pas lorsque vous quittez la trappe. Plusieurs joueurs passent le râteau uniquement à l'endroit où ils ont frappé la balle et laissent le reste de la trappe dans un état lamentable.

Golfeur solitaire

Un golfeur solitaire sur un parcours ne dispose d'aucun statut et devrait laisser passer tous les groupes de joueurs en duo, trio ou quatuor. La courtoisie la plus élémentaire suggère de ne jamais retarder un groupe derrière soi.

Sur le parcours, les quatuors ont priorité sur les trios, les trios sur les duos et les duos sur un joueur solitaire. Dans cet esprit, la grande majorité des clubs n'acceptent que des équipes complètes.

Les autres golfeurs

Trop souvent, nous oublions de prêter attention aux joueurs sur les autres trous. Nous nous déplaçons sans tenir compte qu'un joueur, sur un autre trou mais à proximité, est prêt à frapper sa balle. D'autres fois, notre balle dépasse le vert et atterrit près d'un autre joueur prêt à s'élancer. Différentes situations se produisent pendant une partie de golf; utilisez votre jugement et votre sens commun. Traitez les gens autour de vous comme vous souhaiteriez que l'on vous traite.

La bonne distance

La télévision a une grande influence sur le public en général et sur plusieurs golfeurs en particulier; parfois, en effet nous essayons de copier nos idoles. Comme eux, nous tentons de frapper le coup parfait en évaluant au mieux la distance qui nous sépare de notre cible. Si seulement, nous avions leurs talents !

Certains, pourtant incapables de contrôler leur balle, passent un temps incroyable à arpenter le terrain afin de mesurer ou d'essayer de mesurer la distance les séparant de leur cible. L'une de nos connaissances au Nouveau-Mexique suggère d'utiliser la méthode « Star Wars » pour choisir le bon bâton et déterminer la distance. Avec un sourire, il nous disait : « Luke, rappelle-toi la mission et écoute tes émotions. Essayez-le. Vous serez sans doute surpris de voir à quel point votre première estimation de la distance était bonne et sauverez un temps incroyable à choisir « le bon bâton ».

Aider vos partenaires à localiser les indicateurs de distance fait partie de l'étiquette et accélère le jeu. Sur la plupart des parcours, des panneaux, installés sur la tête des arroseurs automatiques, indiquent la distance qui vous sépare du vert. Lorsque vous vous trouvez près de la balle de votre invité, repérez rapidement le panneau afin de connaître la distance à parcourir.

Est-il recommandé de donner des conseils à vos partenaires ?

Un joueur expérimenté n'est généralement pas une personne à la recherche d'une leçon au beau milieu d'une partie. La situation peut être totalement différente pour un joueur débutant. En général, offrez votre aide uniquement si votre partenaire en fait la demande. Ne soyez pas effrayé de dire que vous n'avez pas les compétences ou l'expérience requises pour donner des conseils. Proposez plutôt au joueur : « Gardez en mémoire votre difficulté et discuter-en avec le pro. »

Si votre partenaire dispose d'un équipement du dernier cri ou du plus récent équipement disponible sur le marché, vous êtes probablement accompagné d'une personne qui prend le jeu très au sérieux ou qui vient tout juste de célébrer son anniversaire ! Peut-être cette personne aura-t-elle un élan comparable à celui d'un joueur du circuit professionnel. Malheureusement, ce genre de joueur est une exception. Son équipement démontre sans doute simplement son amour du jeu, le fait qu'il joue régulièrement et qu'il est fier de se retrouver sur un terrain de golf.

Le golf est perçu par le grand public comme une activité pratiquée avec classe. Cette image correspond bien à la réalité. La plupart des golfeurs aiment présenter une image d'excellence, malheureusement leur jeu ne peut pas toujours être qualifié d'excellent. D'un autre côté, un golfeur peut présenter une image de millionnaire, sans pour autant obtenir le respect de ses partenaires. Au cours d'une partie, peu importe l'équipement ou les vêtements, l'attitude fait toute la différence.

Recevoir des conseils de Jack Nicklaus

Jouer en compagnie de Jack Nicklaus est une expérience unique. Circonspect en matière de conseils, il fait peu de commentaires sur ce qui ne va pas dans votre jeu. Un jour, nous avons joué une partie de golf au Pro-Am à Doral. Les trois autres joueurs qui complétaient notre quintette avaient payé une forte somme pour jouer en compagnie de Jack Nicklaus. Malgré leur grande expérience au golf, ils furent tous incapables de frapper leur première balle en sa présence. Finalement, ils nous ont dit : « On vous rejoint sur le premier vert. » Alors, Nicklaus et moi avons joué le premier trou sans eux !

Nicklaus était un grand sportif au collège, tout comme moi. J'ai appris qu'il avait adoré jouer au ballon-panier. J'imagine qu'il devait être très doué. Ainsi, nous avions plusieurs points en commun. Rendu au 5e trou, il me dit : « J'imagine que vous ne jouez pas régulièrement au golf? »

« Pourquoi dites-vous ça ? » demandai-je.

Il me regarda avec délicatesse et me répondit : « Vous ne savez pas comment déterminer correctement votre ligne? »

Alors, il me montra comment m'y prendre. Pas mal ! Recevoir un cours privé de Jack Nicklaus.

Un dernier point important sur lequel nous voulons insister : nous ne croyons pas qu'il soit de mise de donner des conseils à vos partenaires sur la façon de jouer. Exceptionnellement, vous le pourrez lorsqu'un joueur qui aura un handicap très supérieur au vôtre et demandera clairement conseil. Mais soyez très prudent et évitez les conseils trop spécifiques.

Pendant une partie de *Business Golf*, si votre invité est vraiment un joueur ayant peu d'expérience, nous vous recommandons de lui donner le conseil suivant : « Regardez bien la balle en la frappant, n'essayez pas de suivre la balle en vol, je le ferai. » Ce conseil est utile et porte peu à conséquence. Si vous n'êtes pas un formateur professionnel, vous causerez peut-être plus de tort que de bien en donnant des conseils trop spécifiques. Vous pourriez aussi dire : « Vraiment, je ne vois pas ce qui ne va pas dans votre jeu. Avez-vous pensé en parler avec le pro ? »

Message d'un joueur à faible handicap de la Caroline du Nord.

Je ne donne pas de conseils aux joueurs sur leur élan ou sur tous les sujets semblables, pour une bonne raison. La personne se dira en elle-même : « Oh ! je joue mal aujourd'hui. Normalement, j'obtiens un pointage de 85 et maintenant je me dirige vers 100. Grâce aux bons conseils obtenus de mon partenaire, j'obtiendrai assurément un pointage de 150. Heureusement qu'il n'est pas mon fiscaliste, je paierais le double d'impôt. »

Je ne me considère pas comme un expert en matière d'élan. Pourquoi devrais-je risquer de compromettre ainsi notre relation ? Devrais-je vous dire aussi comment gérer votre entreprise ? Si on me demande de l'aide, je réponds souvent : « Écoutez, je n'ai pas l'habitude de le faire, mais si vous le souhaitez vraiment, je vous observerai encore un peu avant de vous donner mon avis. » Ensuite, je passe à autre chose. Si la personne revient sur le sujet, bien sûr, je suis obligé de dire quelque chose, mais je n'enseigne rien de spécifique.

CHAPITRE 14
Sur le vert

Sur le vert, le nombre d'opportunités d'exercer votre habileté en matière de *Business Golf* sera plus élevé que n'importe où ailleurs sur le parcours. Vous devez connaître les règles et, plus important encore, vous devez maîtriser parfaitement l'étiquette. Dans ce chapitre, nous nous concentrerons sur votre invité et le type de situation à laquelle vous pourriez faire face. L'apprentissage du golf est souvent une question de nuance. Votre façon d'agir sur cette partie du terrain sera déterminante.

Les marques de balle

En arrivant sur le vert, la première chose que vous devriez faire est de réparer toutes les marques de balles que vous verrez. Bien sûr, réparez les vôtres d'abord, mais si elles se trouvent près d'une marque laissée par l'un de vos partenaires, réparez-la aussi.

Utilisez toujours un outil prévu spécifiquement pour cela. Une marque de balle disparaîtra naturellement en vingt-quatre heures, si elle est réparée immédiatement et adéquatement. Cependant, une marque laissée telle quelle, ne disparaîtra pas avant plusieurs jours. Faites en sorte de laisser le terrain en meilleure condition que vous ne l'avez trouvé, réparez les marques de balle, replacez les mottes de gazon arrachées ou déposez le fertilisant proposé par votre club, et bien sûr passez le râteau dans la trappe de sable.

Mettez-vous à l'épreuve la prochaine fois que vous jouerez seul : combien de marques de balle avez-vous réparées ? Avez-vous bien passé le râteau dans la trappe de sable ? Combien de mottes de gazon arrachées avez-vous replacées ? La réponse devrait être la même que si vous étiez devant une foule pendant un tournoi.

Saviez-vous que vous pouvez réparer toutes vos traces de balle mais pas celles de vos crampons ? Marchez avec précaution sur le vert. Envisagez d'acheter ou de remplacer vos crampons actuels par des crampons non métaliques. De plus en plus de terrains les recommandent ou les exigent.

Connaissez-vous la bonne façon de réparer vos marques de balle ? Prenez votre outil et insérez-le directement dans la « blessure ». Ensuite, tournez l'outil. Retirez-le. Placez votre outil immédiatement à la bordure de la blessure. Entrez-le en diagonale vers le centre et répétez en relevant doucement le gazon tout autour de la « blessure ». Lorsque vous avez terminé, à l'aide de votre fer droit, pressez délicatement le mélange de terre et de gazon, de façon à égaliser la surface du vert.

La courtoisie pendant les roulés

Lorsque vous vous déplacez sur le vert, ne marchez jamais dans ligne d'un autre joueur. Le joueur dont la balle est la plus éloignée de la cavité, frappe le premier. Souvent, un autre joueur se tiendra prêt à retirer le drapeau au besoin. Si le joueur se trouve très près du trou, offrez-vous pour tenir le drapeau.

Savez-vous pourquoi les cadets des joueurs professionnels tiennent toujours le drapeau en angle ? Simplement, ils veulent s'assurer que celui-ci sera prêt à être retiré et ne restera pas coincé au moment crucial. Car, si le drapeau ne sortait pas et que la balle le frappait, le joueur subirait une pénalité de deux coups.

Lorsque vous avez en main le drapeau, assurez-vous de bien tenir la tige et le drapeau lui-même, afin d'éviter que celui-ci bouge et déconcentre le joueur. Retirez-le de son ancrage sans pour autant le sortir du trou. Placez-vous de façon à ce que votre ombre n'apparaisse pas directement devant le trou. Si vous choisissez de déposer le drapeau au sol, assurez-vous de le placer de manière à ce qu'il pointe vers le trou et à une distance de quatre ou cinq verges de celui-ci.

Lorsqu'un de vos partenaires fait un bon roulé, soyez enthousiaste, montrez-lui votre appréciation. Tous les golfeurs adorent entendre : « Bravo », « Bon coup » ou « Beau travail ». Les gens apprécient les compliments, nous sommes tous humains, à quelques exceptions près. Dans tous les clubs, vous rencontrez un jour ou l'autre un grogneur. Si vous avez le « privilège » de l'accompagner, remarquez bien son expression lorsque vous lui ferez un compliment !

Soyez prêt lorsque votre tour viendra

Lorsque vous attendez votre tour, n'utilisez pas votre bâton comme un tabouret de bar. Si vous le faites, vous laisserez une grosse marque sur le vert. Lorsque c'est votre tour, ne perdez pas trop de temps à déterminer votre coup. Planifiez celui-ci. Certains golfeurs s'imaginent parfois dans un tournoi de professionnels et prennent un temps infini à évaluer les différentes possibilités et rate finalement le trou par une distance appréciable.

Lorsqu'un partenaire se prépare à frapper ou frappe, restez immobile, silencieux et évitez de vous placer directement devant ou derrière lui. Rappelez-vous que, sur le vert, peu importe leur handicap, les joueurs sont souvent sur un pied d'égalité. Pour les golfeurs moins expérimentés, le vert est souvent le seul endroit favorable pour rattraper une partie de leur pointage. Soyez courtois et attentif. Parfois, prendre quelques minutes par semaine, à la maison ou au bureau, pour pratiquer ses roulés peut faire toute une différence quant à son pointage, à sa technique et à sa confiance.

Lorsque vous quittez le vert, faites l'effort de replacer le drapeau. Pouvez-vous compter le nombre de fois où vous l'avez fait ? Par curiosité, prêtez attention à vos partenaires et voyez qui le fait le plus fréquemment. Traditionnellement, la personne qui frappe la première balle est responsable de replacer le drapeau. Par courtoisie, quittez le vert lorsque tous les joueurs ont terminé leur trou.

Parfois, à peine sortis d'une trappe de sable ou pour effectuer un coup rapproché, des joueurs vont se présenter sur le vert avec plusieurs bâtons en main. Invariablement, certains en oublieront en bordure du vert. Prenez un instant en quittant le vert, regardez autour de vous et, s'il y a lieu, ramassez les bâtons oubliés par vos partenaires.

CHAPITRE 15

Le rythme

Traditionnellement, la personne avec le pointage le moins élevé à un trou frappe la première balle au trou suivant. Bien sûr, nous savons que certaines personnes ne connaissent pas ou ne comprennent pas les règles et l'étiquette au golf. Dans ce genre de circonstance, si votre invité désire frapper le premier, même s'il a perdu au trou précédent, permettez-lui de se faire plaisir. Vous devez toujours vous tenir à une bonne distance de la personne qui s'apprête à frapper. Certains joueurs resteront sur le départ jusqu'à ce que leur balle s'arrête. De toute façon, vous devriez vous aussi observer l'endroit où la balle s'immobilise. En tout temps, soyez prêt à jouer à votre tour. Votre stratégie de jeu devrait être déterminée avant même que vous plantiez votre té.

Gardez un bon rythme

Précédemment, nous avons mentionné que, dans des circonstances idéales, la durée de votre partie de golf devrait être d'environ trois heures et quarante-cinq minutes. Certains golfeurs préfèrent un rythme plus rapide, ce qui rend parfois la partie désagréable pour les autres joueurs. Gardez un bon rythme, suivez le groupe qui vous précède et ne retardez pas le groupe qui vous suit. Pour maintenir un rythme raisonnable, ayez en tête l'objectif d'achever votre partie en moins de quatre heures.

Pour atteindre cet objectif, nous vous recommandons d'éviter de perdre du temps pour les raisons suivantes :

- Déterminer avec une précision excessive la distance entre votre balle et le vert.

- Chercher la ligne parfaite de frappe.
- Chercher une balle perdue.
- Discuter longuement de l'ordre des frappeurs.
- Inscrire le pointage après quelques trous. Inscrivez le pointage au fur et à mesure.

N'en faites pas trop

Nous vous avons suggéré plusieurs façons d'être courtois et serviable envers votre invité. En utilisant ces différents conseils et techniques, vous ferez en sorte de vivre une journée de golf plus satisfaisante, tant pour votre invité que pour vous-même. Toutefois, si vous en faites trop, votre invité sera mal à l'aise, verra que votre approche n'est pas sincère et tous vos efforts seront vains. Vous perdrez ainsi tout espoir de relations d'affaires fructueuses. Utilisez votre sens commun et soyez naturel.

Sommaire de la quatrième partie

• Déterminez la composition de votre équipe avant de vous présenter sur le départ.

• Comme vous devez respecter les règles du golf, apprenez à les connaître.

• Si votre invité a un handicap supérieur au vôtre, laissez-le jouer le premier au 1er trou.

• Conservez un bon rythme de jeu. Au moment opportun, arrêtez de chercher une balle perdue ou ramassez votre balle.

• Marquez votre balle.

• Ne marchez jamais dans la ligne d'un autre joueur.

• Si vous êtes très près du trou, demandez l'assistance d'un de vos partenaires pour tenir le drapeau.

• Si vous tenez le drapeau, assurez-vous que votre ombre ne gêne pas le joueur et assurez-vous que le drapeau ne bouge pas dans le vent.

• Au départ, si vous avez frappé le premier, prenez les devants et, au moment opportun, replacez le drapeau.

• Quittez le vert lorsque le dernier joueur a terminé son trou.

• Ne prenez jamais plus de cinq minutes pour chercher une balle perdue.

• Personne ne connaît tous les règlements. Conservez un livre de règlements dans votre sac.

• Déterminez vos distances rapidement et frappez sans perdre de temps.

• Ne donnez pas de conseils sur les différentes façons de frapper une balle. Lorsqu'une personne vous demande conseil, pensez-y à deux fois avant de lui suggérer quelque chose et, si vous le faites malgré tout, ne soyez jamais spécifique.

• Réparez toujours les dommages que vous causez au terrain. Au besoin, offrez votre aide à vos partenaires de jeu.

• Ramassez votre balle si vous êtes en dehors des limites du trou.

• Si vous prenez du retard, n'hésitez pas, jouez le « ready golf ».

• En compagnie d'un invité, agissez comme son cadet.

PARTIE 5

L’étiquette

CHAPITRE 16

Comment refuser une invitation avec courtoisie

Remercier un client

Un jour, je planifiais une partie de golf avec un cadre d'une importante banque, qui avait la responsabilité d'accorder les contrats de construction pour de nouveaux établissements. Afin de compléter notre quatuor, je comptais inviter l'un de nos fidèles clients, entrepreneur en construction, et un directeur de prêt d'une autre institution, qui avait l'habitude de nous envoyer de nombreux clients. Notre firme comptable entretenait de solides relations d'affaires avec ces deux personnes et je tenais à les remercier.

Tous les golfeurs composant notre quatuor avaient un handicap inférieur à 10. La journée s'annonçait magnifique, le terrain de golf était dans une excellente condition et la composition de ce quatuor était des plus productifs. Simultanément, je remerciais deux personnes pour leur précieuse collaboration et favorisais de nouvelles affaires avec un client potentiel.

L'entrepreneur en construction m'a profondément insulté lorsqu'il a refusé mon invitation. Il m'a dit qu'il n'aimait pas du tout mon terrain pour différentes raisons fort discutables. Il appréciait l'invitation, mais il la refusait. Pris un peu au dépourvu, j'invitai un autre client, aussi entrepreneur en construction, dont le handicap était de 22. Finalement, nous avons passé une journée fort divertissante et productive. Les liens entre les différents joueurs se sont créés rapidement. Dans les mois suivants, l'entrepreneur en construction qui avait joué avec nous fut invité à construire de nombreux bâtiments pour le banquier et à faire des rénovations majeures au siège social de cette banque.

Au fil du temps, j'ai cessé d'entretenir des relations d'affaires avec le premier entrepreneur et il n'a jamais su ce que lui avait coûté son refus de participer à notre partie de golf.

Jim McNulty

Ce type de situation se produit fréquemment dans le *Business Golf*. Vous recevez une invitation pour participer à un tournoi de golf et, pour différentes raisons, vous souhaitez décliner l'invitation. Comment devez-vous le faire sans offenser la personne qui vous invite ? Parfois, vous n'en avez tout simplement pas envie, en d'autres occasions vous n'êtes pas disponible, mais, d'une façon ou d'une autre, vous ne voulez pas être rayé de la liste de cette personne.

Si vous n'êtes vraiment pas disponible, la meilleure chose à faire est de décliner l'invitation et de mentionner que vous l'appréciez, mais que vous n'êtes malheureusement pas disponible. En refusant, ayez quelques bons mots sur les autres joueurs et sur le parcours. Si la situation s'y prête, vous pouvez même suggérer d'autres golfeurs. Cette façon de faire amoindrit l'impact de votre refus et assure que votre hôte restera dans de bonnes dispositions à votre égard. Refuser avec délicatesse et courtoisie assurera le maintien de votre relation avec cette personne et évitera de la froisser inutilement.

Si vous n'avez vraiment pas envie de jouer ou d'établir quelque relation d'affaires que ce soit avec la personne qui vous invite, ce sera peut-être plus difficile d'être courtois. L'étiquette vous impose malgré tout d'agir avec délicatesse. Ne coupez jamais les ponts, car personne ne sait ce que lui réserve l'avenir.

Si vous n'avez pas envie de jouer cette partie ou si vous ne pouvez pas le faire, refusez l'invitation. Rien n'est plus désagréable qu'une personne qui a accepté une invitation, sans réelle intention de s'y rendre, et qui s'excuse à la dernière minute. D'une façon ou d'une autre, si vous êtes habile dans la façon de présenter votre refus, vous préserverez vos relations d'affaires.

Qui devrait faire les appels ?

Voyons maintenant la situation inverse : vous êtes celui qui organise la journée, qui fait les invitations et s'assure d'avoir un quatuor complet. Plutôt que d'avoir recours au service de votre secrétaire ou de votre assistant, faites les appels vous-même, c'est toujours préférable.

Advenant le cas où vous ne pouvez vraiment pas le faire vous-même, confiez la tâche à une personne qui comprend bien l'importance du golf dans le développement de relations d'affaires. Sept ou huit appels seront peut-être nécessaires pou que votre quatuor soit au complet.

En faisant votre invitation, soyez spécifique, précisez qui composera le quatuor, la date et l'heure prévues. Essayez d'obtenir une réponse sur-le-champ ou le plus rapidement possible. Si vous organisez votre partie un ou deux mois à l'avance, accordez un délai de quelques jours à votre invité pour confirmer sa présence. Assurez un suivi serré. Car, plus vous vous rapprocherez de la date de la partie, plus vous aurez de difficultés à trouver des partenaires de jeu. Ne soyez pas surpris : certains joueurs planifient leurs parties des mois à l'avance et organisent le reste de leurs activités d'affaires en fonction des autres dates disponibles. Ne souriez pas, ce type d'organisation est fréquent et plus répandu qu'on le croit.

Dans le cadre d'un tournoi dont la date est impossible à déplacer, la pression pour réunir des joueurs à un moment précis est plus forte. Dans certaines circonstances, vous serez contraint d'inviter des personnes qui ne figurent pas nécessairement en tête de votre liste. Soyez honnête : si vous invitez une personne à la dernière minute, mentionnez-lui qu'un joueur vient de s'excuser. Prenez le temps de décrire le tournoi, le parcours, la composition du quatuor, le calibre des joueurs et le déroulement général de la journée.

Présentez la partie comme un événement auquel la personne aurait de bonnes raisons de vouloir participer. Même si la personne refuse, vous aurez souligné le caractère particulier de votre relation et le respect que vous avez envers elle. Conserver un historique de vos invitations est toujours une bonne idée; inscrivez-les dans un dossier informatisé, dans votre agenda ou sur tout autre type de documents qui vous permettra de faire un suivi.

Gardez toujours à l'esprit que vos invités et vous-même êtes toujours libres d'accepter ou de refuser une invitation. Si vous n'êtes pas disponible, ou si vous n'en avez tout simplement pas envie, n'y allez pas. Toutefois, la courtoisie et la délicatesse sont toujours de mise. En cas de refus, proposez d'autres golfeurs. N'acceptez jamais une invitation à laquelle vous n'avez pas l'intention sincère de vous rendre. Rien n'est plus insultant ou désorganisant que de recevoir une annulation à la dernière minute.

CHAPITRE 17

D'autres éléments de courtoisie

Qui devrait conduire la voiturette ?

Si vous formez un quatuor, qui devrait conduire la voiturette de golf ? Dans le cadre d'une partie de *Business Golf*, les deux décideurs devraient se déplacer ensemble. Vous n'êtes pas dans une cour de justice où chacune des parties s'assoit de son côté de la table. Votre objectif consiste à créer des liens et éventuellement des occasions d'affaires, alors vous déplacer en compagnie de la bonne personne fera toute la différence. Toutefois, la décision devra être prise avant l'arrivée sur le parcours afin que soit évité tout malaise.

Dans certaines situations de paris, un golfeur préférera peut-être se déplacer en compagnie de son coéquipier, particulièrement lorsque les joueurs sont expérimentés et que les mises sont importantes. Leur proximité leur permettra de peaufiner leur stratégie et de compter sur l'appui moral de leur partenaire. Toutefois, nous pensons que, même dans un pareil contexte, les décideurs devraient se déplacer ensemble. Les paris ne devraient jamais compromettre les objectifs de la journée.

Différentes façons d'accélérer le jeu

Le pointage ne devrait pas être inscrit pendant que vous êtes sur le vert ou dans la voiturette entre deux trous mais plutôt au départ du trou suivant. Cette courtoisie élémentaire peut sembler évidente, mais trop souvent nous voyons des golfeurs ralentir le jeu en inscrivant leur pointage sur le vert. Rendez-vous au départ du trou suivant avant de sortir votre crayon.

Le *Business Golf* insiste sur le principe du respect des règles. Ce respect permet à des golfeurs d'un handicap de plus de 30 et à un professionnel de jouer ensemble et de passer une formidable journée. Nous ne devrions jamais les contourner même si, parfois, le golf fait ressortir notre véritable personnalité. Agir autrement peut montrer une image négative de nous-même et nuire à nos relations d'affaires potentielles.

Malheureusement, certains joueurs trichent sur le parcours. Naturellement, vous devriez vous méfier de ces personnes autant sur le parcours qu'ailleurs. Si votre balle tombe dans un trou, jouez-la dans le trou. Si votre balle tombe derrière un arbre, jouez selon les règles. Certaines personnes pensent qu'il est bon d'aider son invité en bougeant sa balle afin de favoriser son jeu. Nous pensons que cette attitude envoie un mauvais message. « S'il m'aide à tricher, il doit donc tricher aussi ! » Avant de commencer la partie, convenez de respecter les règles. Suivre les règles devrait faire partie de votre plan de match, autant dans les joutes amicales qu'en affaires.

Faire une pause à mi-parcours ?

Jouer certains parcours demande parfois plus de temps que vous ne l'auriez pensé. La grande majorité des terrains offrent de la nourriture et des boissons à des comptoirs installés entre le 9e et le 10e trou. En parcourant le 8e trou, vérifiez auprès de votre invité s'il souhaite consommer à la pause (hot dog, rafraîchissement, cigares, etc.) ; cela vous évitera de perdre du temps au moment de passer la commande. Traditionnellement, une période de pause de cinq minutes est prévue à cet effet. Toutefois, évitez de retarder le groupe derrière vous. Si votre groupe joue lentement, profitez de cette pause pour laisser passer le groupe qui vous suit.

Devrions-nous fumer ?

Pour la plupart des gens, l'usage du tabac est devenu répréhensible. Avant d'allumer votre cigare ou votre cigarette, assurez-vous que personne n'en sera indisposé. Si vous avez soigneusement planifié votre journée de *Business Golf*, vous connaîtrez les préférences de votre invité. S'il est non fumeur, abstenez-vous.

De plus, si un joueur, même dans une voiturette, se plaint de l'odeur du tabac, ne fumez plus.

Si vous le faites, ne jetez jamais vos mégots dans les trappes de sable.

Une histoire de gros bons sens

Je n'oublierai jamais le jour où, une connaissance et moi, nous avions commencé à consommer de l'alcool dès le 1er trou. Au 9e trou, nous en étions déjà à note troisième consommation. D'après ce que je peux me rappeler, nous avons bien ri, échangé des histoires parfois douteuses et avons eu beaucoup de plaisir. À la fin de la partie, nous avions bu plusieurs bières et boissons alcoolisées. Mon partenaire ressentait déjà passablement l'effet de l'alcool. Malgré tout, nous nous sommes rendus au bar. Nous parlions fort et notre attitude devenait de plus en plus dérangeante. Sans aucune retenue, il me parlait de ses affaires et de bien d'autres sujets que je préfère ne pas répéter. Malgré le fait que nous étions réunis pour la première fois dans un contexte social, j'étais convaincu d'avoir créé de solides liens avec lui.

Quelques jours plus tard, je l'ai contacté afin de fixer un rendez-vous pour finaliser nos ententes. Lorsqu'il a pris mon appel, il a eu une attitude froide et distante. Lorsque j'ai tenté de lui rappeler nos discussions, il m'a répondu qu'il ne s'en souvenait plus et que de toute façon il n'était plus intéressé. Je ne pouvais pas en croire mes oreilles. Ma seule explication, c'est qu'il était mal à l'aise de son comportement de cette journée-là. Malheureusement, nous n'avons plus jamais rejoué au golf ensemble et aucune entente d'affaires n'a jamais été réalisée.

Anonyme (pour des raisons évidentes)

Certains clubs de golf offrent des boissons dans des véhicules qui se déplacent sur le terrain. Compte tenu des différentes lois contre l'alcool au volant et du savoir-vivre le plus élémentaire, nous vous recommandons de ne pas encourager la consommation d'alcool. En plus d'affecter votre jugement, l'alcool peut parfois transformer très négativement le déroulement de votre journée. Soyez sage et jouez avec prudence.

Une erreur de pointage

Un événement qui s'est produit en 1968 est resté profondément gravé dans ma mémoire. Je vivais ma première expérience comme commentateur au Masters. Par malheur, Tommy Aaron a commis une erreur sur la carte de pointage de Roberto DeVicenzo, ce qui lui a permis de battre injustement Bob Goalby. Sans cette erreur, le dénouement de la partie aurait dû se décider en prolongation, mais DeVicenzo avait déjà signé sa carte. Lorsque j'ai annoncé que l'issue du match se jouerait en prolongation, mon réalisateur a été pris de panique et m'a demandé de ne pas répéter cette information tant que la situation ne serait pas clarifiée. « Comment faire pour revenir sur cette annonce ? Comment une erreur de la sorte peut-elle se produire dans un tournoi d'une telle importance ? » me disais-je en moi-même. Nous nous sommes alors déplacés dans la tente du marqueur et je l'entends encore dire : « Je suis stupide, je suis stupide ! » Il a admis son erreur, agi dignement et n'a jamais essayé de blâmer qui que ce soit. Quel impact aurait eu cette victoire sur la carrière de DeVicenzo ? Personne ne le saura jamais. Goalby a gagné le championnat et DeVicenzo est toujours resté amer face à cet événement.

Pat Summerall

Qui doit inscrire le pointage ?

Plusieurs golfeurs aiment inscrire le pointage, ce qui leur permet ainsi de suivre plus facilement les différents paris. N'hésitez pas : avant le départ, prenez quelques crayons et cartes de pointage supplémentaires. Gardez une carte pour vous-même et inscrivez le nom de chacun des joueurs. Cette carte vous servira d'aide-mémoire pour les noms de chacun des joueurs. Mentionnez dès le début de la partie et fréquemment le nom des joueurs. Cela vous aidera à retenir les noms et permettra aussi aux autres joueurs de faire de même. Souvent des joueurs préfèrent rester silencieux tout au long du parcours plutôt que de redemander le nom d'un coéquipier. Dans un groupe restreint de quatre joueurs, certains n'oseront jamais vous redemander votre nom.

Avez-vous déjà vécu cette situation où discrètement vous demandez à une personne le nom d'une autre personne et elle ne le sait pas non plus ? Dire : « Bravo, bon coup » sans y attacher un nom devient très impersonnel après un certain temps.

Pour ces raisons, vous devriez inscrire le pointage le plus souvent possible, vous forçant ainsi à retenir le nom de chacun. Dans les tournois de charité ou tout autre événement où vous ne connaissez pas nécessairement les joueurs à l'avance, inscrire le pointage vous permettra de mieux vous concentrer sur le jeu et sur vos partenaires.

Si vous inscrivez le pointage, vous devez noter toute situation qui pourrait entraîner des ajustements au pointage. Chargez-vous du pointage et laissez votre invité se détendre.

Quel est le pointage ?

N'inscrivez jamais le pointage d'un partenaire sans d'abord avoir demandé : « Combien avez-vous fait au dernier trou ? » Idéalement, vous devriez poser cette question devant tout le monde. Les tricheurs sont moins portés à mentir devant un groupe. Vous découvrirez peut-être qu'il vous donne un pointage inférieur à la réalité. Comment régler une situation aussi délicate ? La meilleure façon de procéder, à notre avis, consiste à revoir un à un les coups effectués, ce qui permet ainsi au joueur de rectifier la situation et de faire preuve de plus de transparence pour le reste de la partie. Inscrivez le pointage à chacun des trous, particulièrement si des mises importantes sont en jeu. Attendre quelques trous avant d'inscrire le pointage peut être une source d'erreurs et de conflits entre les joueurs. Si l'un d'eux éprouve de réelles difficultés à déclarer un pointage honnête, invitez son comptable à votre prochaine partie ou, plus simplement, cessez de faire affaire avec lui.

Que faire lorsqu'un invité triche ?

Cette question est sans aucun doute la plus fréquente que l'on nous pose. Avec raison, car ce type de situation est très délicat. D'un côté, vous souhaitez créer des liens d'affaires avec cette personne et, d'un autre côté, vous savez qu'elle triche. Si elle le fait, avez-vous vraiment envie de conclure des affaires avec elle ? La règle d'or du golf est simple : respecter les règles.

Dans une telle situation, nous vous recommandons de rappeler à votre invité que la partie doit se dérouler selon les règles généralement reconnues ou, s'il y a lieu, selon les règles spécifiquement établies avant le début de la partie. Si vous éprouvez des difficultés à faire respecter les règles, vous saurez à qui vous avez affaire. En démontrant votre attachement aux règles, vous gagnerez le respect de vos partenaires.

Tricheur au golf ? Tricheur en affaires ?

Dernièrement, j'ai eu l'opportunité de jouer au golf avec une personne avec qui je comptais créer d'importantes occasions d'affaires. Au 14e trou, j'en avais assez. Je savais dès lors qu'il était satisfait de ses fournisseurs actuels et que j'avais moins de 10 % des chances d'obtenir « ses commandes ». Il agissait d'une façon prétentieuse et je fis tout mon possible pour ne pas lui parler pendant la partie. Au 15e trou, j'ai vraiment su à qui j'avais affaire. Au départ, il frappa sa balle dans le sous-bois. Je le voyais et je l'entendais chercher désespérément celle-ci. Quelques minutes plus tard, je vis sa balle atterrir à quelques pas du drapeau... mais la balle était devenue soudainement jaune. Voilà un aspect formidable du golf : vous savez ra-

pidement à qui vous avez affaire. Ayant frappé une balle blanche au départ, ce type termine son trou avec une balle devenue jaune par magie. Quel joueur était-ce ce là ? Je serais très curieux de savoir comment il mène ses affaires.

Un agent de change avec un handicap de 20

CHAPITRE 18

La sécurité

La ceinture de sécurité ? Cet architecte aurait eu intérêt à la porter

Je n'oublierai jamais le jour où j'ai expédié mon partenaire hors de la voiturette. Nous roulions à une bonne vitesse sur le côté gauche du parcours, à la recherche d'une balle perdue à l'entrée du sous-bois. Mon partenaire, un homme d'une cinquantaine d'années, s'était penché vers l'avant afin de prendre une cigarette. Prêtant une grande attention au sous-bois mais aucune à mon partenaire, j'ai aperçu tout à coup la balle. Immédiatement, j'ai braqué le volant et j'ai entrepris un demi-tour rapide vers la gauche. Au même moment, j'ai entendu un bruit sourd et des hurlements : mon partenaire gisait sur le terrain. Jamais de ma vie, je n'ai été aussi embarrassé. Heureusement, il ne souffrait d'aucune blessure, mais il m'a fait savoir rapidement et sans ménagement le fond de sa pensée. Pendant le reste du parcours, j'ai remarqué qu'il boitait légèrement.

Cet homme était le président d'une grande entreprise qui songeait à retenir les services de notre firme afin de faire le design de l'un de ses futurs immeubles. Dans les mois ayant précédé notre partie de golf, nous avions eu plusieurs rencontres qui avaient été fort prometteuses.

Cet incident malheureux s'est produit au premier trou. Inutile de vous dire que le reste de la partie s'est déroulée dans une atmosphère tendue. Bien sûr, nous n'avons pas eu le contrat; et j'ai été simplement heureux qu'il ne me traîne pas en justice.

Conduire la voiturette peut apparaître comme une tâche anodine. Étonnamment, des accidents sérieux se produisent, trop souvent dus à la négligence ou à des actions irréfléchies. Gardez à l'esprit que vous êtes au volant, que vous êtes comme un chauffeur de taxi. Soyez prudent et pensez au confort et à la sécurité de votre passager.

Suivez les règles relatives aux déplacements en voiturette et vous ne serez jamais dans l'embarras

Les règles et l'étiquette en matière de conduite de la voiturette sont simples, mais plusieurs éléments doivent être pris en considération. D'abord, la plupart des voiturettes ont un support pour déposer votre boisson, utilisez-le. Les voiturettes se conduisent bien dans les sentiers, les allées, en bordure du terrain, dans les bois et pratiquement n'importe où. Toutefois, leur suspension, comparable à celle d'un tank, ne sera d'aucun secours sans ceinture de sécurité. Un coup de volant brusque ou une dénivellation du terrain, même la plus petite, et le contenu du verre de votre passager se retrouve sur ses souliers ou sur son pantalon. Soyez prudent et attentif lorsque vous jouez le rôle du chauffeur. Utilisez votre jugement. Si les boissons vous sont offertes avec des couvercles, utilisez-les.

Qui conduit la voiturette ?

Comme il n'y a pas une réponse unique à cette question, nous avons fait un sondage auprès des golfeurs à ce sujet : « Qui devrait conduire la voiturette ? » L'un de nos répondants, un professeur de psychologie à la retraite, nous a dit : « Je préfère laisser mon invité conduire la voiturette. Ainsi, il a un sentiment de contrôle de la situation. Par ailleurs, de mon côté, cela me donne l'opportunité de mesurer sa connaissance de l'étiquette. »

Nous avons obtenu un autre point de vue qui nous a permis de voir la situation sous un angle différent. Un dentiste qui a l'habitude de jouer deux fois par semaine qui a un handicape de six, nous a affirmé : « Je pense que c'est une bonne idée de laisser conduire le golfeur le plus talentueux, surtout si l'écart entre les handicaps est très grand. Le joueur avec le handicap le plus élevé doit s'arrêter plus souvent, ce qui permet au golfeur plus talentueux de l'aider, au besoin, à localiser sa balle. »

Nous avons tous entendu des histoires de voiturettes qui se sont retrouvées dans l'étang. Comment est-ce possible ? Un joueur descend de la voiturette pour frapper sa balle, pendant que l'autre stationne la voiturette près de l'étang afin d'être prêt lorsque son tour viendra. Dans son empressement, le conducteur oublie d'engager le frein de sécurité ou le fait incorrectement et la voiturette aboutit dans l'étang. Bien sûr, cette situation paraît amusante, mais les conséquences peuvent devenir sérieuses tant sur le plan de la sécurité que sur celui des coûts. En passant, quel type d'assurances possédez-vous en prévision d'une telle situation ?

Un mot encore une fois sur Mickey Mantle

Je joue régulièrement au golf avec Mickey Mantle. Dans ses bonnes journées, il a un handicap de cinq ou six. Sur le vert, il joue toujours avec une balle sur laquelle on peut voir des lacets de baseball peints. Sur le vert, il n'est pas particulièrement doué, mais dans l'allée, il peut frapper une balle à un kilomètre ! Il sait conduire sa balle mais pas du tout la voiturette. Il peut frapper sa balle n'importe où, mais je n'ai jamais rencontré un aussi mauvais conducteur. Les sentiers prévus pour les voiturettes ne veulent rien dire pour lui. Il se rend où il le désire, un point c'est tout. Il conduit toujours la pédale au plancher, et ce, peu importe les courbes qu'il devra prendre ou la condition du terrain. Heureusement, à ce jour, il n'a pas encore eu d'accident.

Pat Summerall

Vous êtes le conducteur

En vous approchant d'un trou, assurez-vous de conduire de façon à ne pas distraire les joueurs qui s'apprêtent à frapper.

Occasionnellement, vous vous dirigerez vers un trou qui sera difficile à voir de loin. Vous prenez une courbe et soudainement vous arrivez directement sur le départ. En pareille circonstance, conduisez lentement et arrêtez-vous par courtoisie si vous voyez d'autres joueurs sur le départ. Laissez-les terminer avant de vous avancer davantage. Bien sûr, après une certaine période d'attente, si les joueurs sont très lents, avancez un peu. Ils comprendront le message.

En voiturette, la courtoisie fait parfois défaut chez certains golfeurs. Soyez courtois avec tous les golfeurs que vous croisez dans vos déplacements, même en voiturette.

Un vendeur d'automobiles qui joue environ trois parties de *Business Golf* par mois insiste toujours pour que son invité conduise la voiturette.

Même si la partie se déroule sur mon terrain, mon invité conduit la voiturette. Cela me donne l'occasion de l'observer d'avantage. Je remarque autant sa façon de conduire que sa façon de jouer et de se comporter. Je découvre tellement d'informations au sujet de mes invités pendant cette période de quatre heures. Pour certains, cette approche peut paraître déraisonnable, mais cela m'a permis au fil des ans de bâtir plusieurs relations d'affaires fort satisfaisantes.

Sur certains parcours, vous aurez l'obligation de rester sur le sentier prévu pour les voiturettes. L'étiquette prévoit que vous stationniez toujours votre véhicule le plus près possible de la balle de votre invité. Si votre balle est éloignée de la sienne, laissez la voiturette sur place, prenez quelques bâtons et demandez à votre invité de vous rejoindre. Cela accélérera le jeu et démontrera votre grande considération pour votre invité.

Les dangers du golf

Personne ne perçoit le golf comme un sport dangereux. En fait, la plupart des gens le voient plutôt comme un jeu lent, détendu et relaxant. Pourquoi pas ? Vous le jouerez probablement ainsi toute votre vie, sans penser aux dangers.

Toutefois, les dangers sont réels. Réfléchissez-y : une balle, frappée avec n'importe lequel de vos bâtons, aura une vélocité pouvant atteindre près de 250 pieds par seconde. Elle a un poids de 1.62 once et un diamètre de 1.68 pouce. Afin de supporter l'impact et la vitesse de son déplacement, la balle est extrêmement résistante et dure. Elle peut ainsi devenir un véritable projectile capable de mutiler, blesser ou même tuer une victime innocente.

La plupart des golfeurs ne considèrent pas que leurs partenaires de jeu ou eux-mêmes peuvent occasionnellement avoir des problèmes à bien contrôler la trajectoire de leur balle. Si vous vous tenez devant ou à côté d'une personne qui frappe, il existe toujours une possibilité que vous soyez atteint par la balle.

La faute du frappeur ? Pas toujours.

Être frappé par une balle ou être responsable d'un tel accident n'est jamais une expérience agréable. La sécurité doit être la préoccupation de tout le monde. Non seulement devriez-vous regarder attentivement devant vous avant de frapper, mais vous devriez en tout temps prêter attention aux joueurs évoluant autour de vous. Plusieurs parcours ont des allées étroites, séparées uniquement par une rangée d'arbres. Occasionnellement, une balle peut atteindre l'allée d'un autre trou et placer les autres golfeurs dans des situations particulièrement périlleuses.

Par prudence, criez toujours « Fore ! » si votre balle se dirige vers un ou des joueurs. Imaginez votre embarras si, en frappant un mauvais coup, vous n'avez pas la présence d'esprit de crier « Fore ! » et que votre balle atteint un autre joueur. Surtout si cette personne mesure 6 pieds 10 pouces et pèse 300 livres, imaginez sa colère.

Nous avons tous, un jour ou l'autre, frappé une balle même si une personne se trouvant devant nous n'avait pas encore frappé la sienne. Combien de fois avez-vous accepté de vous cacher derrière un arbre pendant que la personne derrière vous frappait sa balle ? Le frappeur n'est pas toujours seul responsable lorsque des accidents se produisent.

Je suis tombé comme une pierre

Il y a quelques années, je jouais une partie de golf en compagnie de trois copains. Comme toujours, je surveillais autour de moi afin qu'aucune balle perdue ne me frappe. Curieusement, au dernier trou, une normale cinq, nous avons tous frappé nos balles assez près les unes des autres. Cette allée se trouvait en bordure d'un terrain d'exercice. Après avoir cogné mon deuxième coup, j'étais en train de ranger mon bâton dans mon sac. Un jeune membre de notre équipe s'est élancé sur une balle perdue afin de la renvoyer sur le terrain d'exercice. J'ignorais qu'il allait frapper cette balle qui se trouvait très près de moi. Soudainement, je l'ai entendu frapper et, ensuite, la seule chose dont je puisse me souvenir fut mon réveil dans un lit d'hôpital. Il a frappé la balle sans me prévenir et sans aucune forme de précaution. La balle m'a touché à la tête, juste en dessous de la tempe. Mes coéquipiers m'ont dit que j'étais tombé comme une pierre et qu'il avait du sang partout. J'ai subi différentes fractures au visage et à la mâchoire. Toutefois, je me compte chanceux d'avoir survécu.

Après avoir passé plus de six semaines aux soins intensifs, on a dû recourir à la chirurgie pour reconstituer une partie de mon visage. Je n'ai pas retouché à mes bâtons de golf depuis plus de trois ans. Je ne jouerai probablement plus jamais à ce sport que j'aimais tant. Aux golfeurs, je ne ferai que la recommandation suivante : Pensez avant de frapper une balle et ne frappez jamais, ni de près ni de loin, dans la direction d'une autre personne. Vous risquez de changer sa vie… pour toujours !

Un joueur trop mal en point pour pratiquer son sport favori.

Mère nature

Il existe d'autres formes de danger sur le parcours. L'un des plus sérieux est sans aucun doute la foudre. La plupart des gens sont inconscients de cette force imprévisible de la nature. Des golfeurs ont été atteints par la foudre alors qu'ils croyaient que celle-ci tombait à une grande distance. Heureusement, il existe aujourd'hui de nouvelles technologies, et elles sont généralement installées dans la boutique du pro et permettent de mesurer l'éloignement de la foudre. En cas de danger, les dirigeants du club peuvent sonner l'alarme et prévenir les golfeurs. Malheureusement, ce type de technologie n'est pas disponible sur tous les terrains. À d'autres endroits, les systèmes sont automatisés, alors, lorsque la situation le commande, les responsables doivent automatiquement stopper le jeu. Rien n'arrête la nature, même pas le fait que vous étiez en train de compléter le 17e trou.

Vous vous rappelez le prêtre dans le film « *Caddy Shack* » ? Sous la pluie, il jouait en compagnie de Carl. Il manqua son roulé, hurla et leva son bâton vers le ciel et fut frappé par la foudre. Carl s'assura que personne n'avait remarqué l'incident et poursuivit sa partie.

Oublions le cinéma et revenons à la réalité. Lorsque les sirènes hurlent, vous pouvez continuer votre partie et espérer terminer avant que la tempête frappe ou partir immédiatement et rester vivant pour reprendre votre partie un autre jour. Nous aimons la vie, alors nous nous retrouvons au pavillon ? Lorsque vous invitez une personne, vous avez la responsabilité de prendre toutes les précautions nécessaires. Soyez prudent en toutes circonstances.

Certaines périodes de l'année sont plus dangereuses à cause de la chaleur et de l'humidité. Si vous n'avez pas l'habitude de jouer dans la chaleur et l'humidité, soyez prudent : buvez beaucoup d'eau et portez un chapeau. Le golf ne requiert pas la même endurance que d'autres sports. Toutefois, ce qui s'annonce comme une journée de plaisir peut se transformer en cauchemar à cause d'un coup de chaleur ou pire encore si vous consommez de l'alcool. Nous recommandons de boire beaucoup d'eau tant avant le départ que tout au long de la partie. Autre précaution à prendre, utilisez de la crème solaire en tout temps. Donnez l'exemple, prenez l'habitude de vous protéger et encouragez les autres à faire de même, particulièrement les jeunes pour lesquels vous êtes une sorte de modèle.

Du point de vue des éléments naturels, certains parcours sont plus dangereux que d'autres. En Floride, il y a des parcours qui comptent des alligators parmi leurs habitués. D'autres reçoivent la visite d'araignées ou de serpents au venin extrêmement dangereux. En toute circonstance, soyez prudent lorsque vous vous approchez des étangs, des lacs ou des bois. La présence d'affiches indiquant « Chasse interdite » devrait vous convaincre de ne pas partir à la chasse dans ce secteur pour retrouver votre balle. Profitez de la beauté du site tout en restant prudent.

Les lanceurs de bâtons

Cela peut vous paraître amusant que nous mentionnions « les lanceurs de bâtons » comme un danger potentiel sur les terrains de golf. Ne souriez pas, l'expérience nous a appris qu'agir ainsi n'est pas seulement un geste idiot mais aussi un geste dangereux. Les individus au tempérament explosif finissent toujours par découvrir que les bâtons ne sont pas faits pour être lancés. En vol, ils deviennent terriblement dangereux et ils ont blessé un nombre incalculable d'innocentes victimes.

Comment réagir face à ce type de comportement ? Simplement, dites à l'individu en question que si le responsable du terrain le voit agir ainsi, son droit d'accès au terrain sera mis en péril. Racontez-lui aussi cette anecdote, vraie pourtant, d'un homme en colère qui a frappé son bâton contre un arbre. Le bâton s'est brisé et l'homme l'a reçu en plein visage; il en a été gravement blessé.

Ma montre !

Permettez-nous de vous raconter cette histoire amusante au sujet d'un golfeur de grand talent et de sa montre.

Au 18e trou, à la fin d'une partie de golf particulièrement décevante, un homme enragé lança son sac de golf dans un étang, dont la couleur de l'eau était spécialement repoussante. Au vestiaire, l'homme réalisa que sa montre, d'une grande valeur, se trouvait dans le sac. Avec l'aide du commis aux voiturettes, il dû aller chercher son sac dans dix pieds d'eau et de boue. Après avoir retrouvé son précieux objet, l'homme relança immédiatement le sac dans l'étang.

Basil Rathbone

Je me trouvais à Pebble Beach le jour où Basil Rathbone, l'acteur personnifiant Sherlock Homes, participait au Crosby Clabake. Au 17e trou, il envoya une balle dans l'eau. Son jeu avait été décevant pendant tout le parcours. Au 18e trou, il monta sur le rocher et demanda au cadet de lui apporter son sac de golf. Un par un, il lança, aussi loin qu'il le put, tous ses bâtons dans le Pacifique. Ensuite, il prit toutes ses balles et les lança aussi. Ensuite, le sac et les souliers aboutirent au même endroit. Lorsqu'il prit conscience que nous avions filmé sa performance, il se tourna vers son cadet et fit semblant de le lancer aussi. Je garderai un souvenir éternel de cette scène.

Sommaire de la cinquième partie

- Apprenez à refuser avec délicatesse et courtoisie une invitation afin de ne pas couper les ponts.
- Soyez attentif aux golfeurs autour de vous et agissez en fonction de l'étiquette.
- Regardez toujours votre invité lorsqu'il frappe sa balle et observez l'endroit vers où elle se dirige.
- Soyez courtois en toutes circonstances mais n'en faites pas trop.
- Si vous choisissez de prendre de l'alcool, faites-le avec modération.
- Conduisez la voiturette prudemment et accordez une attention particulière à la sécurité.
- Respectez les règles.
- Buvez beaucoup d'eau.
- Utilisez des crèmes solaires.

PARTIE 6

Le 19e trou

CHAPITRE 19
Les remerciements

Sammy Davis junior

Sammy Davis Junior était l'hôte le plus généreux que j'ai connu. Lorsqu'il s'impliqua dans le Greater Harford Open, il passa par la boutique du pro et acheta quatre ou cinq des meilleurs équipements disponibles. Il se procura aussi des garde-robes complètes de golfeur afin de les offrir tout simplement. Il démontrait une générosité exemplaire, ce qui n'est pas le cas de tout le monde. Je le regardais avec ravissement offrir ces équipements à des gens qui en avaient réellement besoin et non à d'autres célébrités.

Par Summerall

Offrir un cadeau de qualité est une façon de remercier avec classe et peut avoir un impact significatif sur le développement de bonnes relations. Parmi les cadeaux les plus appropriés que vous puissez offrir, pensez à un outil pour réparer les trous ou a une chemise portant votre logo. Si vous n'avez pas de chemise portant votre logo, achetez une chemise portant celui du terrain sur lequel vous venez de jouer. La présentation d'un cadeau devrait se faire d'une façon désinvolte et rapide. « John, c'est avec plaisir que je t'offre ce présent afin de souligner le plaisir que j'ai eu de jouer au golf avec toi pour la première fois. » Offrez votre présent simplement et avec classe.

Un autre cadeau très apprécié est une photo de votre quatuor, sur laquelle le nom des joueurs, la date et l'emplacement auront été inscrits. À l'aide de l'ordinateur, vous aurez du plaisir à la transformer pour différents usages, par exemple un écran de veille pour votre ordinateur. Nous avons des amis qui emportent une petite caméra et prennent toujours des photos de leur quatuor. Quelle belle façon de conserver un historique de vos parties de golf.

Si votre groupe ne se compose pas uniquement de vous et d'un invité, présentez votre cadeau de façon à ne pas embarrasser votre invité ou les autres personnes présentes. Remettez-le en privé, par exemple au stationnement lorsque chacun range son équipement.

Certains préfèrent offrir leur présent avant la partie et d'autres le font plutôt au 19e trou. Notre expérience nous a appris que le 19e trou est un meilleur choix. Parfois, votre invité aura eu une contre-performance sur le terrain, votre geste lui redonnera alors le sourire. D'un autre côté, si, pour une raison ou une autre, vous passez une mauvaise journée en compagnie de cette personne, peut-être préférerez-vous garder cette belle chemise pour vous-même.

Il existe un grand nombre d'idées originales de présents que vous pourrez offrir à votre invité afin de souligner votre rencontre. L'objet doit être un aide-mémoire, un souvenir ou un rappel sous une forme quelconque de la journée passée en votre compagnie. Des balles de golf avec le logo de votre entreprise peuvent être perçues comme une bonne idée, malheureusement, elles seront utilisées et perdues rapidement. Idéalement, votre présent doit être un objet durable. Notre préférence va aux chemises portant un logo, car celles-ci se retrouvent rarement dans l'étang du 8e trou. Un outil pour réparer les trous, également avec un logo, aura aussi une utilité durable.

Les golfeurs et les entreprises ont parfois des philosophies fort différentes sur la façon et la pertinence d'offrir des cadeaux. Certains golfeurs croient qu'un cadeau risque de mettre mal à l'aise un invité. Parfois, l'invité se sentira obligé de vous retourner la politesse ou se sentira redevable envers vous. Toutefois, notre expérience nous a appris que les cadeaux sont généralement appréciés et que très rarement les personnes qui les reçoivent sont mal à l'aise. Démontrez votre appréciation simplement en utilisant votre jugement.

Voici un conseil qui devrait vous aider en cette matière. Si votre cadeau est donné avec sincérité, généralement, il sera apprécié et reçu avec plaisir. Si le cadeau est de mauvaise qualité, et ce, peu importe le prix, il donnera une piètre image de votre entreprise et de ses représentants. Un outil de 80 $ pour réparer les trous aura une durée de vie plus longue qu'une boîte de balles. Pensez à la raison pour laquelle vous offrez ce cadeau et agissez avec classe.

CHAPITRE 20
Le suivi

Un joueur expérimenté du Texas

Ma philosophie est simple. Si je choisissais d'utiliser ce sport comme outil de développement de mes affaires, alors je prendrais le temps qu'il faut pour le faire convenablement. Je suivrais des cours et je m'entraînerais. En améliorant la qualité de mon jeu, je deviendrais un joueur plus recherché et j'augmenterais mes chances d'être invité dans différents tournois locaux. Comme la plupart de ces tournois sont des activités de charité, cela ne donnerait une bonne occasion de faire ma part et de profiter des grandes opportunités qu'offre le réseautage.

Apparemment, les opportunités d'affaires sont gagnées ou perdues au 19e trou. Pour celles qui sont perdues, la raison en est souvent l'absence de préparation et le manque de suivi. Dans les chapitres précédents, nous avons insisté sur l'importance d'une solide planification. Notre objectif au *Business Golf* est de déterminer quelles sont nos attentes. Que souhaitons-nous obtenir à la suite de cette partie ?

Faites un suivi de chacune de vos parties de *Business Golf*

(Dixième commandement du *Busines Golf*)

• Déterminez trois résultats, par ordre de priorité, que vous souhaitez obtenir à la suite de votre partie.

• Obtenez un accord pour une deuxième rencontre plus formelle dans un bureau, idéalement celui de votre invité.

• Dans les vingt-quatre heures qui suivent votre partie, envoyez une note de remerciements.

• Mettez à jour votre fichier de contacts. S'il y a lieu, effectuez votre réclamation de dépenses en y indiquant les résultats obtenus. Finalement, inscrivez une date de suivi dans votre agenda.

Le 19e trou doit être un moment de relaxation et de réflexion à la fin des quatre heures que vous avez passées en compagnie de votre invité. Naturellement, vous devez régler les différents paris, taquiner gentiment vos partenaires de jeu au sujet de leurs performances, échanger vos cartes professionnelles et décider si une autre partie sera disputée dans un avenir prévisible.

Concentrez-vous sur les événements de la journée, laissez la conversation suivre son cours spontanément. Ayez à l'esprit que vous créez doucement des liens qui dureront des années. Notre expérience nous a appris qu'après une partie de golf l'ambiance est plus propice à la camaraderie qu'aux discussions formelles, à moins que, sur le parcours, vous n'ayez convenu d'autre chose. Lorsque vous discutez affaires, soyez prudent; si l'ambiance n'est pas favorable, vous pourriez ruiner tous vos efforts en poussant trop fort au mauvais moment. Pour cette raison, nous croyons de vous devez obtenir un engagement pour une rencontre d'affaires formelle à un autre moment.

Au fond, l'objectif est simple : créer des liens. Ensuite, tout devient possible. Profitez du plaisir de cette nouvelle rencontre, créez un climat favorable et détendez-vous. Lorsque la confiance règne, soyez sûr que votre invité prendra avec plaisir vos appels téléphoniques. Si votre invité refuse ou est incapable de conclure des affaires avec vous, ne renoncez pas, voyez s'il ne peut pas vous diriger vers certains de ses partenaires d'affaires. Ne soyez pas amer ou rancunier, considérez toutes les autres opportunités. Votre *Business Golf* ne donnera pas automatiquement des résultats immédiats, mais il sera une première étape dans l'établissement de liens d'affaires à long terme. Peu importe la façon dont vous choisirez d'agir, soyez toujours sincère, et les probabilités de conclure de bonnes affaires et de développer de nouvelles amitiés seront de votre côté. Si vous avez des doutes, parlez-en avec un mentor, demandez des conseils sur la façon d'assurer un suivi adéquat. Lorsque la partie est terminée, vous devez avoir créé des liens qui vous permettront de passer à une autre étape.

Ne renoncez pas

Le 19e trou devrait être une occasion de cimenter votre relation avec votre partenaire et de réunir les conditions qui permettront, à long terme, d'atteindre votre but. Vous avez passé quelques heures en compagnie de votre invité, vous avez agi de façon à ce qu'il vive un bon moment et vous avez appris à mieux le connaître. Dans ce contexte, vous méritez de poser des questions d'affaires plus spécifiques. De plus, vous savez tous deux si la confiance s'est installée et vous permet de passer à une étape subséquente. Aucun autre endroit ne vous aurait donné l'opportunité de connaître votre invité comme vous le permet le golf. Si vous constatez que l'occasion de parler affaires ne se présente vraiment pas, soyez satisfait au moins d'avoir eu la chance d'accompagner votre invité au golf et d'avoir pu le connaître davantage. Notre expérience nous a appris qu'une seule partie de golf est rarement suffisante pour réunir toutes les conditions nécessaires à l'officialisation de relations d'affaires. Prenez le temps, fixez d'autres rencontres. L'essentiel consiste à créer des liens favorables pour le futur.

Pas plus que vous ne le feriez dans une présentation ou une réunion d'affaires, n'abusez pas de la gentillesse ni du temps que votre invité vous accorde. Même si aucune affaire n'est discutée, terminez la rencontre sur une note positive. Faites en sorte que votre invité ait envie de reprendre contact et non de vous fuir.

Combien d'entre vous ont déjà été prêts à acheter un produit ou un service mais ont changé d'idée à cause de l'insistance abusive du vendeur ? Rappelez-vous que l'objectif du *Business Golf* consiste à créer des liens avec un partenaire potentiel pour des relations à long terme. Prêter une grande attention au déroulement des conversations et terminez votre rencontre avant que la situation commence à se dégrader. N'attendez pas que votre client vous informe qu'il doit partir. Soyez proactif : proposez une date pour une rencontre de suivi et mettez un terme à la rencontre.

Mesurez votre succès au *Business Golf*

À cette étape, vous avez investi beaucoup de temps afin de planifier vos objectifs de *Business Golf*. Dans certains cas, vous aurez passé plus de temps que vous ne l'aviez prévu au départ. Donnez-vous à fond afin d'atteindre vos objectifs mais prenez le temps de bien documenter chacune de vos démarches. Conservez un historique de tous les événements.

L'une des méthodes les plus efficaces consiste à tenir un journal de vos activités. Inscrivez tous les détails au sujet de votre invité, de son entreprise ou toute autre information pertinente qui vous permettra de faire un suivi adéquat et d'atteindre ultimement vos objectifs. Notez des informations factuelles telles que la date de votre dernière rencontre, le terrain sur lequel la partie a eu lieu, le handicap de votre invité, le type de balles qu'il utilise, ses préférences en matière d'équipement et, bien sûr, les clubs qu'il fréquente ou ceux dont il est membre. Indiquez aussi les objectifs que vous comptez atteindre en relation avec cette personne.

Ainsi, après la partie, vous aurez davantage d'options pour assurer un suivi. Quels furent les sujets d'affaires abordés pendant la partie ? Comment s'est passée la rencontre ? Quel suivi comptez-vous faire ? En plus de vous être utiles pour faire vos suivis, ces informations pourraient être pertinentes pour justifier vos dépenses auprès de votre employeur. Au fil du temps, vous pourrez mesurez vos succès et déterminer quelle approche permet d'obtenir les meilleurs résultats.

Regardons la situation en face : les coûts reliés au golf doivent être justifiés, surtout si c'est votre employeur qui les assume. Lorsque votre employeur accepte d'utiliser le golf pour favoriser le développement des affaires, vous devez accepter d'être imputable des résultats obtenus. Comme le *Business Golf* connaît une croissance fulgurante, nous croyons qu'il s'intégrera de plus en plus dans les budgets des entreprises. Aucune excuse ne devrait être acceptée en matière de responsabilité.

Nous le méritons

Parmi nos relations, nous connaissons un groupe d'associés qui ont nommé leur voyage annuel de golf le NLM, soit l'acronyme de « Nous le méritions ». La tradition a été instaurée par Bill Chastain. Au cours des dernières années, ils ont visité plusieurs parcours dont le Pinehurst, le Pebble Beach, le PGA West à LaQuinta, le Reynolds Plantations, le Cherokee à Atlanta, le Black Diamond et le World Woods. Le plaisir, le golf et l'humour sont toujours au rendez-vous. Une personne se charge des réservations, une autre choisit les restaurants, un effort de groupe est requis pour la sélection des vins et finalement une dernière personne devient responsable de gérer les grands paris de la semaine. La composition des équipes est déterminée à l'avance.

Les grands paris de la semaine se composent de cinq parties. La cagnotte est divisée en cinq tranches et les gagnants du jour reçoivent leur part, en argent comptant, après chaque partie. Une petite partie de la cagnotte est réservée pour faire la fête. Les paris sont nombreux et un joueur chanceux peut gagner plusieurs centaines de dollars en une seule journée. Les mises sont considérées comme raisonnables par tous les joueurs et personne ne joue hors de sa zone de confort. Tous les participants apprécient leur séjour et estiment que cela représente une occasion unique de se retrouver ensemble. Bien sûr, certains en profitent pour discuter affaires, mais chacun accorde une grande importance aux relations et à l'amitié.

Connaissez-vous un mentor ?

Qui est un bon mentor ? Il peut s'agir d'une personne dans votre organisation qui est reconnue pour son habileté à créer de nouvelles relations, votre supérieur immédiat ou une personne du département du marketing. Le

mentor ne doit pas nécessairement être un golfeur pour vous donner de précieux conseils. Dans certaines circonstances, votre mentor sera peut-être le grand patron, celui qui approuve ultimement les dépenses de golf.

De plus en plus d'entreprise permettent aux employés qui ne font pas nécessairement partie de la haute direction de faire des dépenses afin de créer des liens avec des relations potentielles. Tous reconnaissent maintenant que les relations font partie intégrante du processus de vente.

Nous croyons que tous les employés, peu importe leur niveau hiérarchique, devraient avoir une carte professionnelle. Tous connaissent au moins un golfeur, et chacun devrait pouvoir contribuer à créer des relations pour l'entreprise. Compte tenu de la popularité grandissante du *Business Golf,* nous estimons que de plus en plus d'employés seront appelés à y jouer pour favoriser le développement de leur entreprise.

Une possibilité

L'un des aspects les plus intéressants du jeu est l'amitié véritable qui, parfois, se développe entre les joueurs et leurs relations d'affaires. Comme nous l'avons mentionné précédemment, le handicap ne compte pas, seules vos habiletés à communiquer avec les autres font la différence.

Une possibilité intéressante consiste à assister à des tournois en personne. Bien sûr, vous pouvez suivre les exploits des grands joueurs presque tous les week-ends aux chaînes spécialisées et en tirer de grands enseignements mais pourquoi ne pas assister comme spectateur à l'un de ceux-ci ? Des tournois de différents calibres sont présentés régulièrement dans toutes les grandes villes. Certains tournois sont accessibles à des tarifs aussi bas que huit dollars. Toutes ces organisations offrent aussi des forfaits qui peuvent être très avantageux. Profitez-en. L'essentiel consiste à passer un bon moment et à créer des liens avec une relation d'affaires potentielle, tout en observant des joueurs plus talentueux que la majorité d'entre nous.

Notre expérience nous a appris que lorsque le groupe arrive à destination, et ce, peu importe le calibre du tournoi, les rapports entre les personnes se transforment. Chacun devient un peu excité de découvrir un nouveau terrain, de voir des joueurs talentueux à l'œuvre ou de simplement s'éloigner de la routine quotidienne. Traditionnellement, l'hôte devrait offrir les premiers rafraîchissements. Profitez de cet environnement magnifique, découvrez la beauté du terrain, buvez une bonne bière et laissez-vous emporter par la compétition et l'humour de certains joueurs. Existe-t-il une situation plus favorable pour créer des liens ? Dans les trois ou quatre heures que vous passerez en compagnie de votre invité, vous aurez l'occasion de lui mentionner que les relations avec son entreprise et lui sont importantes pour votre entreprise et vous, et que vous êtes heureux de vivre ce moment en sa présence. Soyez assuré que le golf vous permettra toujours de réunir les conditions pour créer des liens et faire progresser vos affaires.

Sommaire de la sixième partie

- Parlez affaires au moment opportun, avec subtilité, respect et courtoisie.

- Peu importe le cadeau que vous choisirez d'offrir, ne lésinez pas sur la qualité.

- Le suivi est essentiel pour assurer le succès au *Business Golf*.

- Impressionnez votre invité par vos talents de communicateur et votre façon d'agir.

PARTIE 7
Les tournois

CHAPITRE 21

Les accros du golf

L'impact de la télévision selon Pat

Récemment, un journaliste demanda à Pat : « *Selon vous, quel impact la télévision a-t-elle eu sur le golfeur moyen ?* » Voici quelle fut la réponse de Pat:

Le Golf Channel a connu un succès étonnant. Étrangement, nous pouvons observer ses émissions à un nombre incroyable de points de vue. Certains suivent l'exemple de leurs idoles et changent constamment d'équipement. Comme eux, j'ai acquis une grande collection de bâtons au fil des ans. D'autres sont obsédés par les élans. Plusieurs font une étude approfondie des plus beaux terrains du monde et se fixent comme objectif de les essayer un jour, et finissent par réaliser que c'est une course sans fin. Certains se concentrent sur leur propre technique et leurs propres résultats, d'autres suivent avec passion les performances de leurs vedettes. Il existe tellement de façons d'être un accro du golf !

Assister en personne à différents tournois fait partie de la routine pour certains adeptes du *Business Golf*. Par exemple, il y a ce groupe de Tampa qui assiste au Masters chaque année en compagnie de différents invités, naturellement enchantés de l'expérience. Compte tenu de la rareté des billets à Augusta, ils se rendent soit au Bay Hill d'Orlando, au Tournament Players Championship de Jacksonville ou au Suncoast Seniors de Tampa Bay. Ce type de voyage permet aux participant de mieux se connaître et laisse de merveilleux souvenirs, favorisant ainsi les relations à long terme.

De commentateur à joueur

Voici un exemple qui montre à quel point le golf peut nous coller à la peau. Lorsque la saison de golf s'est terminée pour les commentateurs de CBS, nous nous sommes tous dirigés vers la Caroline-du-Nord pour jouer au golf. Nous avons vécu une merveilleuse expérience; nous n'étions que des commentateurs; pas de joueurs professionnels. Après avoir longuement parlé de ce sport toute la saison, nous avions enfin l'occasion de nous réunir pour jouer ensemble. Selon mon expérience, le golf est le seul sport captivant dont vous pouvez parler à titre de commentateur pendant des mois et auquel vous pouvez ensuite jouer avec un grand plaisir. Je n'ai jamais entendu parler de pareilles rencontres dans d'autres sports. Je ne connais pas de commentateurs de baseball ou de football qui se réunissent pour pratiquer le sport dont ils parlent toute l'année.

C'est fascinant de voir à quel point on peut revoir ces élans magnifiques à répétition sans jamais s'en lasser. Vous savez ce qui se produira uniquement en observant, pourtant vous demeurez toujours incapable de faire comme eux.

Pat Summerall

Un autre exemple de succès féminin

À titre d'associée senior au sein de notre cabinet, on me demande souvent d'agir comme mentor pour de jeunes associés. Lorsque l'on me demande conseil sur les différen-

tes stratégies afin d'établir de bons rapports avec les clients et de bâtir un large réseau de contacts, je recommande toujours de jouer au golf. Je suis convaincue que de plus en plus d'entreprises encourageront leurs employés à pratiquer ce sport. Certaines entreprises iront même jusqu'à offrir des formations afin d'améliorer les compétences de leur personnel sur le terrain.

Comme pour tout événement auquel vous comptez participer, planifiez celui-ci. Vous devez tenir compte d'un nombre important de considérations. D'abord, vous pouvez assister aux parties d'entraînement qui se déroulent dans les jours précédant le tournoi professionnel. Généralement, ces parties ont lieu en début de semaine et l'achalandage est moins fort. Les parties d'entraînement vous permettront de voir les joueurs frapper, parfois, plusieurs coups du même endroit, surtout autour du vert. Pendant cette étape, l'ambiance est détendue, mais l'étiquette doit être respectée.

Bien entendu, le coût des billets pour ces parties est moins élevé que pour le tournoi. Alors, profitez de l'occasion, achetez plusieurs billets et invitez plus d'une personne. Certaines entreprises achètent une quantité importante de ces billets et les offrent à une grande partie de leur clientèle, sans pour autant accompagner les clients. Toutefois, le *Business Golf* repose sur la création de relations interpersonnelles. Par conséquent, ces billets, bien qu'appréciés, n'auront pas le même impact qu'une invitation formelle à vous accompagner sur le parcours.

Certains tournois, comme le Masters à Augusta, attirent des visiteurs du monde entier. Pour nombre de ces visiteurs, cet événement est le plus prestigieux qui soit. Des entreprises de partout dans le monde planifient leur voyage à Augusta des années à l'avance. Des dizaines de milliers de dollars sont investis par elles chaque année pour inviter leurs meilleurs clients à participer à cet événement. Certains représentants de grandes corporations assistent aux tournois chaque année. Les billets sont presque impossibles à obtenir sans des réservations effectuées longtemps à l'avance. Les membres du terrain et leurs familles ont un contrôle presque absolu sur la disponibilité des billets. Pour ce tournoi, vous devrez planifier des mois, même des années à l'avance. Si vous connaissez un vrai mordu du golf, aucun cadeau ne sera plus apprécié par lui qu'un voyage au Masters.

La dernière victoire de Jack Nicklaus au Masters

Je garde un souvenir particulier de la télédiffusion des Masters, particulièrement celui de 1986, où Jack Nicklaus a gagné accompagné de son fils comme cadet. À quarante-six ans, personne ne croyait qu'il pouvait encore gagner. Il a joué avec une adresse remarquable, surtout la deuxième partie du parcours. Par la réaction de la foule, vous pouviez prévoir sa victoire. Quand vous êtes allé un certain nombre d'années à Augusta, vous pouvez deviner le déroulement du tournoi uniquement par la réaction des spectateurs, sans même regarder la carte de pointage.

En 1986, le voir marcher vers le 18e trou, entendre la foule qui l'appuyait, voir son fils transporter son sac, fut le moment le plus émouvant de ma carrière de commentateur. Avec une telle émotion et dans une telle ambiance, je fus heureux de ne pas avoir à commenter la partie, les images parlaient d'elles-mêmes. Je ne pense pas que j'aurais pu dire quoi que ce soit. Nous étions tous si émus.

Un autre moment pour lequel je garde un souvenir particulier eut lieu, encore une fois, en présence de Jack Nicklaus en 1975. Sur le dernier vert, Johnny Miller et Tom Weiskopf étaient à égalité. Comme ils échouèrent tous deux le dernier roulé, Jack Nicklaus fut couronné champion. Cette fin fut sans aucun doute la plus excitante qu'il m'ait été donné de voir.

U.S. Open, Oakmont Country Club, Pittsburg

L'un de nos amis nous raconta différentes anecdotes au sujet de ses voyages, dont au U.S. Open à Oakmont.

En 1983, nous avions eu la chance d'être invités par un membre du Oakmont Country Club. Nous sommes arrivés le vendredi précédant le U.S. Open. Nous avons eu le privilège d'obtenir les deux derniers départs avant la fermeture du terrain au grand public et aux membres avant la tenue de l'événement. Nous comptions d'excellents golfeurs au sein de notre groupe. Tous nos paris faits la veille de la partie ont bien amusé notre hôte qui connaissait parfaitement la difficulté du parcours. Au fond, nous accordions peu d'importance au pointage, heureux que nous étions de jouer sur ce terrain extraordinaire. Nous avions retenu les services de cadets cumulant plus de trente ans d'expérience, nous avons savouré un excellent repas au pavillon, nous avons joué aux cartes et visité la boutique du pro, dirigé par un gradué de l'université de Tampa, Bob Ford.

Au crépuscule, nous avons vu Tom Watson à l'œuvre sur un vert d'entraînement immense, sa femme l'attendant assise à proximité. Nous avons dîné en compagnie de Hal Sutton, recrue à cette époque. Nous avons passé un week-end merveilleux. Aujourd'hui, lorsqu'on se demande ce qu'il faut avoir comme talent pour être un pro, nous repensons à ce séjour à Pittsburg et nous sourions. Au fil du temps, les membres de notre groupe se sont dispersés, mais les souvenirs de ce week-end au U.S. Open, dans une ambiance amicale avec des partenaires d'affaires, ne disparaîtront jamais.

Pine Valley, New Jersey

Cette anecdote, racontée par un autre de nos copains, présente l'un de ses plus beaux souvenirs de voyage.

Nous étions reçus par des membres du Pine Valley au New Jersey; l'un d'eux avait déjà été inscrit sur la liste des 500 présidents d'entreprises du magazine Fortune. Retiré des affaires depuis longtemps, il était membre de ce club depuis plusieurs années. Il organisait notre séjour avec un souci extrême du détail. Tout était prévu des mois à l'avance, et il nous tenait informés du moindre changement au programme. Il savait que jouer au Pine Valley était une occasion unique et il faisait en sorte que l'expérience soit mémorable pour chacun d'entre nous. Nous recevions tous un livre racontant l'histoire du terrain, accompagné d'une lettre personnelle écrite sur sa vieille machine à écrire Remington.

Cette délicate attention m'a permis de prendre conscience de l'importance d'offrir une forme de présent aux invités, comme un livre, une chemise, une photographie ou tout autre objet qui permet de se remémorer l'événement.

Nous sommes restés sur les lieux pendant deux ou trois jours. Nous avons mangé au pavillon et profité de la vaste bibliothèque qui semblait contenir tous les livres écrits au sujet du golf. Nous découvrions avec ravissement tous les autographes laissés par des visiteurs célèbres qui avaient séjourné dans cet endroit unique.

Augusta

Une année, nous avions loué trois maisons pour une semaine. Notre groupe comptait tellement d'invités que nous avions dû nous séparer en deux équipes. Certains appréciaient à tel point l'expérience qu'ils souhaitaient se joindre aux deux équipes. Il fut particulièrement difficile d'obtenir des billets. Toutefois, en nous présentant à l'accueil, nous avons pu en obtenir pour les parties d'entraînement et pour le fameux tournoi sur la normale 3. Nous nous sommes présentés tôt le lundi matin et nous avons eu la chance de profiter d'un accès pendant les trois jours qui précédaient le tournoi. Finalement, nous avons obtenu des billets pour le tournoi lui-même, mais cela avait désormais peu d'importance, car nous avions déjà eu énormément de plaisir; certains furent incapables de continuer.

Le meilleur coup dont fut témoin Pat Summerall

Le meilleur coup dont je fus témoin a été réalisé par Hale Irwin au Pebble Beach en 1984. Au 16e trou, il expédia sa balle dans la trappe de sable. Je travaillais à l'époque avec Tom Weiskopf et Venturi. Selon Weiskopf, il était impossible de fraper la balle sur le vert à partir de cet endroit. Ce jour-là, j'ai appris que nous ne devons jamais dire le mot « impossible », car ces joueurs sont capables de tout. Irwin envoya effectivement sa balle sur le vert, obtint une place en finale et gagna finalement le tournoi. Le même jour, au 18e trou, il frappa une autre balle directement sur une roche et sa balle atterrit en plein au centre de l'allée !

CHAPITRE 22

L'étiquette pendant les tournois professionnels

Parlons maintenant de l'étiquette que dot respecter le spectateur pendant les tournois professionnels. Avec la popularité grandissante de ce sport, un nouveau type de spectateurs assistent dorénavant aux tournois. Bien que cette popularité soit favorable au golf en général, elle est un couteau à deux tranchants. D'un côté, des milliers de nouveaux spectateurs profitent du plaisir de voir à l'œuvre des joueurs exceptionnels. D'un autre côté, ces nouveaux spectateurs n'ont pas toujours une connaissance raisonnable du golf, de son histoire, de ses traditions et de son étiquette. Ainsi, le nombre grandissant de spectateurs entraîne plusieurs nouveaux problèmes pour les joueurs et les amateurs. Voici quelques exemples de comportements inappropriés :

- Parler, rire ou faire du bruit pendant que le joueur s'élance.
- Crier trop fort après un bon coup.
- Porter des souliers à crampons. Parfois, ils peuvent faire du bruit au mauvais moment.
- Ramasser une balle qui se retrouve en dehors du parcours.
- Se déplacer ou marcher dans des zones interdites.
- Parler aux joueurs, brisant ainsi leur concentration.
- Bouger pendant qu'un joueur s'apprête à jouer ou se déplacer vers le trou suivant avant que tous les joueurs aient terminé.
- Boire beaucoup d'alcool.

- Essayer d'obtenir un meilleur point de vue au détriment des autres spectateurs.
- Laisser des déchets sur le terrain.
- Essayer d'obtenir des autographes pendant que les joueurs sont sur le parcours.

Bien sûr, ce genre de situation ne devrait jamais se produire. Toutefois, nous devons nous rappeler qu'un grand nombre de ces nouveaux spectateurs ont l'habitude de fréquenter d'autres événements sportifs qui sont parfois plus agités. Pendant un tournoi professionnel, les spectateurs se retrouvent quelquefois très près des joueurs. S'ils n'agissent pas selon les règles et l'étiquette, ils peuvent rendre les joueurs très mal à l'aise, parfois même les effrayer. Plus la foule est importante, plus les problèmes potentiels sont nombreux pour les joueurs.

Un dernier commentaire

J'observais un joueur européen pendant le U.S. Open au Congressional Country Club, lorsque soudainement une personne lui cria un commentaire fort désobligeant. Je n'en croyais pas mes oreilles; à voir leurs réactions, je constatai que les autres joueurs et spectateurs n'en revenaient pas non plus. Le golf repose sur une longue tradition de bienséance, de politesse et de civisme. Nous assistons aux tournois par amour du jeu et des joueurs. Bien sûr, certains joueurs vous déplairont parfois pour différentes raisons. Toutefois, vous n'aimeriez sûrement pas qu'une personne entre dans votre bureau en vous criant des insultes, alors ne le faites pas dans le bureau des golfeurs professionnels.

Pat Summerall

CHAPITRE 23

Les tournois de charité

Pat offre son aide aux tournois de charité

Au cours des dernières années, j'ai eu mon propre tournoi pour le Tarrant County, organisme luttant contre les abus de drogue et d'alcool. Nous l'avons tenu pendant trois ou quatre ans. Ce n'était pas un événement majeur, mais nous avons tout de même amassé 40 000 dollars lors du dernier tournoi.

Ce type d'activité est une méthode formidable pour collecter des fonds, créer des relations et s'impliquer pour une bonne cause. Le soleil, le plaisir et l'argent, que peut-on demander de plus ?

Il y a quelques années, personne n'aurait pu prédire que ce sport si agréable aurait un impact tellement significatif pour les différents organismes communautaires. Aujourd'hui, des millions de dollars sont ainsi recueillis chaque année ainsi pour des bonnes causes. Des organismes communautaires, des associations luttant contre différentes maladies et des universités utilisent le golf pour financer leurs activités.

Certains événements organisés en collaboration avec la PGA ou la LPGA sont très courus et attirent de nombreux commanditaires. Ceux-ci paient des sommes importantes pour afficher leur nom et leur logo sur le parcours et sur les vêtements des joueurs, ou pour jouer en compagnie de personnalités. Lorsque ces activités sont bien organisées, elles peuvent générer des profits nets variant de 20 000 à 100 000 dollars.

S'impliquer dans des tournois qui appuient des bonnes causes peut être amusant et favoriser le développement des affaires. De bonnes relations ou une franche amitié peuvent naître de votre implication, particulièrement dans les événements qui se répètent annuellement. L'implication dans différents comités vous permettra de rencontrer régulièrement et d'apprendre à connaître plusieurs bénévoles de divers horizons, ce qui vous procurera une chance unique de créer de nouveaux liens dans une atmosphère détendue. Ce type d'activité devrait être soutenu par tous les golfeurs qui disposent du temps nécessaire. Si votre organisme ou votre entreprise envisage d'organiser ce type de tournoi, nous vous invitons à considérer les stratégies suivantes :

- Nommez un comité capable de recruter des commanditaires et des joueurs.

- Choisissez un terrain ayant une bonne réputation afin d'attirer les commanditaires et de plaire aux joueurs. Vérifiez si le club peut vous offrir des rabais. L'accès au terrain est une dépense importante; toute réduction des coûts en cette matière aura un impact significatif sur les profits. Plusieurs clubs permettent à des organisations d'utiliser leurs installations les lundis lorsque le club est généralement fermé aux membres. Payer les repas, les terrains d'exercice et les voiturettes vous aidera à conclure une entente favorable. De plus, acheter des certificats-cadeaux du club peut être une autre façon de favoriser la conclusion d'une entente.

- Envoyez une lettre, un mémo ou une brochure au commanditaire potentiel et aux joueurs pour leur indiquer les objectifs de l'organisme auquel les profits du tournoi vont aller, la date de l'événement, l'horaire de la journée, la liste des commanditaires confirmés, les personnalités qui seront présentes, les coûts, le trajet et une fiche d'inscription permettant, entre autres, d'inscrire le nom du joueur et son handicap.

• Offrir un sac-cadeau aux participants est une bonne idée. Vous pouvez y inclure des articles populaires tels que des balles de golf, un outil pour réparer les marques de balle, des tés, une serviette de golf, etc. Certains tournois plus prestigieux (et plus coûteux) incluront parfois un veston, un chandail ou même des souliers de golf.

• Généralement, le professionnel et le personnel du club seront heureux de vous offrir leur aide. Par exemple, ils pourront inscrire le nom des participants sur les voiturettes ou faire certaines annonces sur le déroulement du tournoi et les règles s'y appliquant.

CHAPITRE 24
Le circuit professionnel

Je dirais que la plupart des golfeurs professionnels ignorent comment utiliser efficacement le golf entant qu'outil de développement des affaires.

Un vétéran du circuit disposant de vingt-cinq ans d'expérience

Les golfeurs professionnels ont des opportunités extraordinaires de bâtir des relations d'affaires. Tout le monde a envie d'accompagner un joueur au talent unique. Avoir le privilège d'observer de près un professionnel s'élancer ou effectuer un long roulé est toujours une expérience unique pour les amateurs. Toutefois, un grand nombre de professionnels négligent cette opportunité d'utiliser le golf pour les affaires. Nous en avons discuté avec plusieurs d'entre eux et nous devons admettre que leurs horaires sont fort exigeants et fort chargés.

Comme amateurs, nous devons respecter la disponibilité des professionnels et ne jamais en abuser. Nous ne sommes pas là pour bénéficier d'une leçon mais plutôt pour vivre une expérience unique dont nous nous souviendrons longtemps.

Malheureusement, voici ce que nous observons trop souvent dans le cadre des tournois Pro-Am. Les discussions se déroulent souvent entre amateurs, car le pro se referme sur lui-même plutôt que de favoriser une saine camaraderie. Le professionnel se concentre sur le parcours et sur son jeu, sans se donner la peine d'apprendre à connaître les amateurs. En agissant ainsi, il se prive assurément de différentes opportunités d'affaires. Bien sûr, il faut éviter de faire des généralisations, toutefois, nous croyons que les professionnels devraient faire preuve d'une plus grande ouverture et d'une plus grande flexibilité envers les amateurs.

Pratiquer le *Business Golf* sans frapper la balle

Il existe différentes manières d'utiliser le golf pour développer ses relations d'affaires sans devoir nécessairement frapper la balle. Offrir des leçons de golf de groupe est une excellente stratégie. Préparez un carton d'invitation et envoyez-le à un marché cible de mille clients. Généralement, vous obtiendrez une réponse positive de vingt-cinq à cinquante personnes. Bien sûr, vous obtiendrez des résultats supérieurs si vous invitez quelques membres de votre clientèle actuelle, plutôt qu'uniquement des clients potentiels.

Choisissez un club qui dispose d'un terrain d'exercice et d'une salle de réception pouvant accueillir plus de cinquante personnes. Négociez avec deux formateurs rattachés au club, la tenue d'une leçon de groupe, d'une heure ou deux, sur un aspect spécifique du golf. Aux deux extrémités du terrain d'exercice, les formateurs pourront s'occuper chacun d'une partie du groupe. Idéalement, votre formation devrait avoir lieu le samedi et vos invitations devraient être postées trente jours à l'avance.

Votre invitation devrait souligner que les formateurs sont reconnus par la PGA. Indiquez le nom de votre entreprise à titre de commanditaire de l'événement. Si des services particuliers sont proposés, par exemple l'analyse des élans, des frais minimes peuvent être exigés. Les golfeurs sérieux recherchent toujours des façons d'améliorer leurs performances tant par la formation que par l'utilisation d'outils de haute technologie permettant de découvrir et de corriger certaines lacunes.

Dans la salle de réception du pavillon, accueillez vos invités. Offrez un petit déjeuner et profitez de l'occasion pour dire un mot de bienvenue. Présentez-vous et mentionnez votre intention d'établir une relation d'affaires avec ces personnes. Toutefois, n'essayez pas de vendre un produit ou un service. Vos invités sont venus par amour du golf, alors laissez les formateurs faire leur travail.

Ensuite, rendez-vous sur le terrain d'exercice et divisez le groupe en deux, afin que chaque formateur ait un nombre plus restreint d'élèves. Si vous offrez aussi l'analyse d'élan, vos invités seront ravis de pouvoir rapporter ce document avec eux et de l'utiliser au moment opportun. Fondamentalement, votre objectif est de permettre à vos invités de passer un bon moment en compagnie de formateurs professionnels et d'obtenir de bons conseils pour améliorer leurs performances. Cette activité terminée, vous avez en main les cartes professionnelles d'un bon nombre de client potentiel et vous partagez avec eux le souvenir d'une journée de golf de première classe. Vous pouvez passer à l'étape suivante et parler affaires.

Respectez le temps de travail des golfeurs professionnels

Les événements de type Pro-Am font partie de l'entraînement des joueurs professionnels. Bien sûr, l'atmosphère y est plus détendue et les amateurs ont le privilège de voir à l'œuvre les joueurs de très près; ils ont alors l'impression de faire davantage partie du spectacle. À la fin du parcours, le pro utilisera, sans doute, le départ d'entraînement; respectez son temps de travail, ne le dérangez pas.

Eric Rahenkamp

Voici une chose que tous les amateurs devraient savoir. Dans les Pro-Am, le cadet sera souvent plus ouvert avec les amateurs, sans pour autant négliger son travail auprès des pros. Dans ce contexte, le cadet complice méritera un bon pourboire. Malheureusement, trop d'amateurs négligent de s'acquitter de cette responsabilité convenablement. Les cadets apprécient les pourboires, bien que vous n'ayez aucune obligation d'en donner. Toutefois, selon notre vaste expérience des Pro-Am et selon les principes du *Business Golf,* vous devriez le faire.

Le physique et le mental, amusant à regarder

Le mental ou le physique, lequel est le plus important au golf ? Les points de vue sont partagés. Certains affirment que les qualités physiques sont déterminantes, alors que d'autres croient que la force mentale fait toute la différence. Certains argumenteront que l'aspect physique est plus exigeant, car il demande une longue période d'entraînement. D'autres affirmeront au contraire que le golf est physiquement peu exigeant si on le compare à d'autres sports tels le tennis ou le football. Nos différentes discussions avec des professionnels nous ont permis d'établir que la plupart d'entre eux affirment que l'aspect mental du jeu est le plus exigeant.

Obtenir un bon pointage ne vous permettra pas nécessairement de conclure une affaire

Tout au long de cet ouvrage, nous nous sommes attardés sur l'aspect mental du golf pour les amateurs, soit les habiletés de communication, les différents types de personnalités et les attitudes. Malgré le fait que les joueurs professionnels disposent de capacités physiques et mentales exceptionnelles, eux aussi auraient intérêt à développer leurs habiletés interpersonnelles, essentielles pour à l'expansion de leurs relations d'affaires.

Au fil de nos différentes rencontres, nous avons découvert que des golfeurs professionnels étaient tellement concentrés sur leur jeu et leur pointage qu'ils ne prenaient pas conscience de toutes les opportunités d'affaires qui pouvaient se présenter à eux. En dehors des tournois, un nombre important de golfeurs professionnels se croient obligés d'obtenir un pointage exceptionnel afin d'impressionner leurs invités. Toute leur attention se concentre sur cet aspect du jeu, et ils oublient de prendre le temps de passer un bon moment en compagnie de leurs invités. Encore une fois, nous insistons sur l'équilibre; agissez de façon à ce que chacun passe une journée mémorable.

Gary Koch et Peter Jacobson sont deux professionnels avec qui nous avons eu le plaisir de jouer et qui ont su développer cette habileté exceptionnelle de permettre à des amateurs de passer, en leur compagnie, une journée mémorable. Ils savent s'amuser, raconter une blague ou deux au moment opportun, offrir de bons conseils et, plus important encore, ils savent remercier les amateurs de les avoir accompagnés. Ils agissent avec classe; leurs actions favorisent l'amour de ce sport auprès du grand public et, ultimement cela ce traduit pour eux en occasions d'affaires. Bien sûr, vous ne serez pas surpris d'apprendre que ces deux joueurs disposent d'un important réseau de relations d'affaires et profitent fréquemment des différentes retombées de leurs bonnes actions accomplies il y a plusieurs années. Les relations avec les autres golfeurs ne sont pas différentes, et cela leur a permis d'obtenir de nombreuses faveurs et de poursuivre une longue et fructueuse carrière.

Nous avons eu le plaisir de jouer avec des psychologues qui oeuvraient auprès de golfeurs professionnels en tant que spécialistes de l'entraînement et du contrôle de l'esprit pour leur montrer comment contrôler leur colère, comment rester concentré et comment visualiser leurs coups. Bien sûr, ils doivent tenir compte d'un nombre incalculable d'aspects du jeu, dont la communication et le soutien moral. Toutefois, lorsque nous avons interviewé ces spécialistes, ils nous ont affirmé que la plupart de ces grands golfeurs, dans un contexte d'affaires, se concentraient plus sur leur performance que sur l'établissement de relations avec leurs partenaires de jeu.

Dans un contexte de *Business Golf,* être amateur ou professionnel a peu d'importance. Ce qui compte vraiment, c'est votre habileté à prendre plaisir au jeu et à passer un bon moment en compagnie de vos invités.

Sommaire de la septième partie

- Assurez-vous que votre invité a l'expérience nécessaire si vous choisissez de l'inviter dans un tournoi de charité.
- L'implication sociale est souhaitable tant pour les golfeurs que pour les non-golfeurs.
- Il existe plus d'une façon de développer ses relations d'affaires par le golf.
- Jouez pour le plaisir.
- Respectez la disponibilité des golfeurs professionnels pendant et après les tournois.

Conclusion

Nous espérons que vous avez retenu de la lecture de ce livre quelques idées que vous pourrez déposer dans votre sac de *Business Golf*. Notre message est simple : le *Business Golf* sera le prochain grand développement qui touchera ce sport. Nous croyons qu'il représente probablement, déjà aujourd'hui, l'un des aspects les plus importants du jeu.

Amusez-vous tout en préservant les traditions, l'étiquette, et ce, avec n'importe quel joueur, peu importe son adresse ou son expérience au golf. Établissez des stratégies dans l'organisation de vos activités de golf et utilisez vos habiletés de communication interpersonnelle afin de développer vos relations personnelles, professionnelles et politiques.

Rappelez-vous qu'au *Business Golf*, ce qui compte vraiment, ce n'est pas votre pointage, votre élan ou la distance à laquelle vous pouvez envoyer la balle. Pour bâtir des relations de confiance qui dureront parfois toute la vie, ce qui vous démarquera véritablement, c'est la façon dont vous agirez avec les autres, votre honnêteté et votre humour. Bien sûr, la qualité de votre planification et de votre suivi fera aussi une bonne différence.

Le golf permet de laisser éclater au grand jour ce qu'il y a de meilleur et de pire en chacun de nous. Si nous le jouons dans l'esprit dans lequel il fut créé, comment pourrions-nous pas en profiter à chaque partie ? Permettez au golf d'enchanter votre vie et d'enrichir vos relations.

Conférences

Notre passion du golf et notre curiosité à propos des relations entre les affaires et le golf nous ont entraînés dans la création de ce livre et d'une série de conférences intitulées « Relationship golf ». Notre mission est d'aider les golfeurs de tous les calibres à utiliser plus efficacement le golf comme outil de développement des affaires.

Pour toute demande d'information sur nos conférences, prendre contact avec John Creighton au 1-800-351-6161, par courriel à l'adresse jhc@relationshipgolf.com ou visiter le site internet www.relationshipgolf.com.

Table des matières

Dans la même collection

Décrochez de votre stress

Lois Levy, M.S.

• • •

101 façons de passer une journée formidable au travail

Stéphanie Goddard Davidson

• • •

Le petit guide du flirt

Peta Heskell

• • •

Dépassez vos objectifs

Jim Cairo

• • •

L'estime de soi des enfants,

300 jeux amusants et stimulants

Barbara Sher

• • •